Novel and Other Poems

GEORGE SEFERIS

Novel
and Other Poems

Translated by
Roderick Beaton

AIORA

Roderick Beaton is Koraes Professor of Modern Greek and Byzantine History, Language and Literature and Director of the Centre for Hellenic Studies at King's College London. He has published a biography of Seferis (*Waiting for the Angel*, 2003) and the novel *Ariadne's Children* (1995), and has translated fiction and poetry from Modern Greek.

© Aiora Press 2016

ISBN: 978-618-5048-43-3

AIORA PRESS
11 Mavromichali st.
Athens 10679 - Greece
tel: +30 210 3839000
www.aiora.gr

Contents

Introduction

Georgios Seferiadis, son of Stylianos, was born in Smyrna (now Izmir) on 29 February 1900, according to the 'old' calendar, or 13 March according to the now-universal calendar that Greece adopted in 1924. The name 'Seferis' is a literary pseudonym, and did not come into existence until much later, in 1931 when he published his first volume of poetry.

The lost paradise of Seferis' childhood was not Smyrna, where he had been born, but the tiny fishing village of Skala tou Vourla. Skala (now Urla Iskelesi) lies some thirty kilometres west of Smyrna along the coast. It was there, until he was twelve, that Seferis spent his childhood summers. Whenever in his later poems, essays, diaries and correspondence Seferis refers to his childhood years, to 'light', or 'the other world', it is to this place and those memories that he refers.

When war broke out in Europe in August 1914, the Seferiadis family left Smyrna for the greater safety of Athens. It was there that Seferis completed his schooling. After that, as a student at the Sorbonne, in Paris, he seems to have hated his studies in law, which he completed in 1924, after painful struggles. To his sister Ioanna, before this, he had already confided his first steps towards becoming a poet. It was during these years in Paris that Seferis met the first great love of his life. She was French, a talented pianist. After he was obliged to return to Greece, to enter his country's diplomatic service, the affair languished. But his feelings informed much of his first volume of poetry, that he published in 1931 with the title *Turning Point*, in particular the poignant, lyrical and tormented 'Love's Discourse' and the lyric here translated as 'Refusal', which thanks to the much later setting by Mikis Theodorakis has become Seferis' best-known poem.

The poems of *Turning Point* are much more than personal. They grapple directly with the symptoms of modernity, as the poet had experienced them both in Greece and abroad. The earliest of these poems to be written, entitled 'Fog' (in English) and written in 1924 on his first visit to London, evokes an alien and frightening cityscape, in which the brass band of the Salvation Army, heard through the traditional London 'pea-souper', is a mockery of salvation in a place where even the angels are deadly. Other early poems celebrate, in an almost futurist manner, such things as motor cars and rockets.

At the same time as his first collection of poetry was published, Seferis embarked on the first foreign posting of his diplomatic career. His two and a half years in London in the early 1930s brought him for the first time into close contact with literature in English. Many years later, he would relate how in December 1931, buying Christmas cards in Oxford Street, he had his first encounter with the poetry of T.S. Eliot. It was one of the most decisive discoveries of his life. Almost at once he began translating poems by Eliot; his own later poetry would often be compared to Eliot's.

By the time he returned to Athens, in February 1934, Seferis had already begun work on a new volume of poetry, for the first time in free verse. This would become the sequence, published in 1935, to which he gave the provocative title *Novel* (it is also known in English by its Greek title: *Mythistorema*). It was in this volume that Seferis first began to establish the poetic landscape that would win him fame both in Greece and abroad. This is the spare, burnt Aegean landscape of rocks and earth, where water is scarce and the sun as unforgiving as the ancient Furies. In this landscape, which is presented mostly in a timeless way in *Novel*, the ancient myths of gods and heroes, and the heroic legends of the Argonauts and the War of Troy, are presented in a series of disjointed fragments. In the tight, closed world of *Novel*, there is no escape either from the landscape or from the endlessly repeated cycles of violence and vengeance, which are the stuff not only of myth, but of Greek history too, both ancient and modern.

Later in the 1930s, Seferis served briefly as consul in the southern Albanian town of Körçe (Korytsa in Greek), contributed poems and essays to the influential new periodical that had been founded by his friend George Katsimbalis (Henry Miller's 'colossus of Maroussi'), and fell in love with his future wife, Maro.

In the early hours of Monday 28 October 1940, when Greece rejected an ultimatum from Mussolini's Italy, Seferis helped draft the official declaration of war. Greece had entered World War II on the Allied side. The Italians were

beaten back in Albania, but then in April 1941 Hitler came
to the aid of his ally, Mussolini. Seferis was evacuated from
Athens, along with the government that he served, on 22
April 1941, a few days before the invading Germans
reached Athens. The plan at that stage was to hold the is-
land of Crete. But within a month Crete, too, would be
under attack, and the Greek government and its civil ser-
vants were evacuated again, this time to Egypt, as the whole
of Greece was placed under occupation by the Axis powers.
During the remainder of the war, apart from brief spells in
South Africa and in Jerusalem, Seferis was based in Cairo,
as press officer to the exiled government. Three and a half
years were to pass before he and Maro would see Greece
again, just after the liberation in October 1944. The poem
'Last Stop' was written during a frustrating delay in their
repatriation, on the 'Tyrrhenian shore' of southern Italy,
and takes stock of the personal and national trauma of the
wartime years.

For a poet, no experience is truly wasted. In the midst
of the unfamiliar world of wartime Egypt, Seferis had found
time to write a short book of poems, that would be pub-
lished in Alexandria in 1944, with the title *Logbook II*, as
well as several remarkable essays. He also collaborated with
a group of British writers, of whom the most famous today
is Lawrence Durrell, whose poems he translated into Greek,
while they translated his into English. This collaboration
helped to establish the basis for Seferis's international rep-
utation as a poet after the war.

Back in Greece, during the autumn of 1946, Seferis spent
a two-month period of leave, his first since before the war,

on the island of Poros. There, contemplating the spectre of civil war that was already beginning to tear his country apart and would last until October 1949, Seferis wrote what is certainly his densest and most complex, perhaps also his finest poem.

It is called 'Thrush', to commemorate a small ship that had been scuttled off the harbour of Poros at the beginning of the war. In this poem, the minor casualty of war, the shipwreck that is still visible on the seabed, comes to represent the ship on which Odysseus travelled to the underworld, there to learn what he most needs to know: how to return to his home in Ithaca. In this way, Seferis draws on the Odyssean myth to create, out of Odysseus' voyage into the depths, a vision of a transcendent, symbolic homecoming, to what the poem calls 'the light'.

In the early 1950s, while on a diplomatic posting to several Arab states and based in Beirut, Seferis paid a series of visits to Cyprus, at the time still under British colonial rule. In Cyprus, he was able to rediscover his lost childhood ideal of a Greek community living close to nature and tradition, and untouched either by modernity or by the dead hand of Greek officialdom. Out of what he called the 'revelation' of Cyprus, Seferis wrote a series of poems, at first titled… *Cyprus, Where It Was Ordained for me to Live…* (now known as *Logbook III*). These poems are full of the sights, sounds, touch and smell of real places and lived moments; in a small number of pages they also weave together a pageant of the whole history of Cyprus, from prehistoric times to the 1950s.

Worked into this texture is the precariousness of an island, and its predominantly Greek-speaking population, in the decade when British colonial power was waning. Cyprus had been ruled by Great Britain since 1878. Seferis was acutely sensitive to the demands of his fellow-Greeks in Cyprus for *enosis*, or union with Greece. At the time of his visits, the British government had set its face publicly against this ever happening. In several of these poems, Seferis gave a grim and all too accurate prophecy of the consequences of the collision course that was then developing, between colonial intransigence and the accumulated bitterness of the Greek Cypriots.

Subsequently, appointed Ambassador to London from 1957 to 1962, Seferis would take a leading role in diplomatic efforts to resolve the armed conflict between the Greek Cypriots and the British that lasted from 1955 to 1959. He disagreed profoundly with the terms of the settlement that led to the independence of Cyprus in 1960, and accurately foresaw how it was likely to unravel, as indeed it did between 1963 and 1974, leading to the stalemate that still exists in the island in the 21st century.

Seferis left the London embassy in 1962 and in 1963 was awarded the Nobel Prize for Literature, the first Greek ever to win this highest international distinction. But his wider fame in Greece and among Greeks abroad was due not so much to this and other official honours, as to the musical setting of four short poems by Mikis Theodorakis, which had its first public performance on 13 November 1961. Seferis notoriously disapproved. But it was through the medium of Theodorakis' immensely popular music that Seferis' poetry first reached a wide audience.

His final collection of verse, *Three Secret Poems*, published in 1966, has been called a cryptic apocalypse and read as Seferis' considered response to Eliot's *Four Quartets*. Seferis never committed himself overtly to religious belief as Eliot did. *Three Secret Poems* envision a corrupt and degraded world coming to an end, just as the poet contemplates his own life reaching the traditional span of 'three score years and ten'. In these poems, there is no palliative for the pain of physical dissolution, and no escape for the soul into an afterlife. But the end of a life, and even the ending of a world, are not quite final, either. At the moment when the pulse stops, when the sun 'oversteps his measure', in the words of the pre-Socratic philosopher Heraclitus, and the world is consumed in fire, come 'birth pangs of resurrection'. There is an intimation of a future after all, a new world ready to emerge out of the conflagration.

After retiring from the diplomatic service in 1964, Seferis had hoped to distance himself from the political life of his country. This proved impossible for him, after the imposition of the military dictatorship of the 'Colonels' on 21 April 1967. In March 1969, the retired diplomat broke with the professional habits of a lifetime and issued his famous 'Statement' to the foreign press, in which he denounced the abuses perpetrated by the regime. The response by the junta was low-key and characteristically petty. Then at the end of July 1971, Seferis was taken into the Evangelismos hospital in Athens, where he died on 20 September.

Seferis' funeral, on 22 September 1971, turned into the first large-scale spontaneous demonstration against the regime of the Colonels. In defiance of the ban on music by

Theodorakis, the crowd spontaneously broke into song, and Seferis was borne to his last resting place amid the swelling chant of the song 'Refusal'. In a way that he would never have expected or, perhaps, quite have wished, Seferis in death had reached the audience to which he had always insisted that his poetry belonged: the people.

This volume presents complete translations of *Novel* and *Three Secret Poems* that have not been published before, together with translations of shorter poems that have appeared over the years in a number of publications, listed below.

The translations presented here bring together for the first time the fruit of more than forty years. *Novel* has been newly translated for this volume, superseding previously published versions of a few of its constituent sections. The translation of *Three Secret Poems* dates from 1972-73, when I benefited from the help and support of my teacher of modern Greek at the University of Cambridge, the late Stavros Papastavrou. The translation was accepted in 1973 for publication by a leading British literary publisher. If this had gone ahead it would have been a precocious first book for me. But the publisher stopped answering letters once it emerged that the Seferis estate was not granting exclusive rights. This had always, and for sound reasons, been Seferis' own policy, and so far as I know it has been continued by his estate to this day. I am particularly glad to have this opportunity, after so long, to bring these translations into the light of day. The 'voice' of these translations must necessarily be different from my own today; respecting that difference, I have refrained from any intervention in the text of 1973 other than the silent correction of a couple of errors.

Other translations were made at different times over the intervening period, and have previously appeared in the following publications:

From *Turning Point* (other than 'Love's Discourse'): *Arion: A Journal of the Humanities and the Classics* 14/1 (2006), except for 'Refusal', which was there published with the title 'Renunciation' and is now superseded by the present version. This version has previously appeared, with my permission, in an article by Polina Tambakaki in *Classical Receptions Journal* 5/1 (2013): 144-65.

'Love's Discourse': *Modern Poetry in Translation* 21 (2003).

From *Logbook II* and *Logbook III*: all previously published in George Seferis, *A Levant Journal, translated, edited and introduced by Roderick Beaton* (Ibis Editions, Jerusalem, 2007) and reprinted with permission. An earlier version of 'Last Stop' had previously appeared in *Arion* 13/2 (2005).

I am most grateful to Anna Londou for permission to publish these translations and to Aris Laskaratos for welcoming them into the congenial and prestigious company of the Modern Greek Classics series published by Aiora.

King's College London
August 2015

ΜΥΘΙΣΤΟΡΗΜΑ

Si j'ai du goût, ce n'est guères
Que pour la terre et les pierres.

ARTHUR RIMBAUD

NOVEL

If I have a taste for anything, it is scarcely
but for earth and stones.

ARTHUR RIMBAUD

Poet's note to the first and all subsequent editions: It was its two compo-
nents that made me choose the title [*MYTHISTOREMA*] for this work:
MYTH, because I have used fairly obviously a certain mythology; history
[or *STORY*], because I have tried to express, with some coherence, a sit-
uation as independent from myself as the characters of a novel.

Translator's note: The Greek title (*Mythistorema*) of this sequence of
twenty-four short poems, or sections, has previously been translated
as *Myth of Our History* and *Mythistory*. In the *Complete* Poems, trans-
lated by Edmund Keeley and Philip Sherrard (1995) the title is left un-
translated. However, the word that the poet chose for this sequence is
a perfectly ordinary one in Greek, and means 'novel'. I hope that this
rendering will appear as surprising to readers of a sequence of poems
as the original does in Greek.

    First published in 1935, these are the first poems that Seferis pub-
lished in free verse.

Τὸν ἄγγελο
τὸν περιμέναμε προσηλωμένοι τρία χρόνια
κοιτάζοντας πολὺ κοντὰ
τὰ πεῦκα τὸ γιαλὸ καὶ τ᾽ ἄστρα.
Σμίγοντας τὴν κόψη τ᾽ ἀλετριοῦ ἢ τοῦ καραβιοῦ τὴν καρένα
ψάχναμε νὰ βροῦμε πάλι τὸ πρῶτο σπέρμα
γιὰ νὰ ξαναρχίσει τὸ πανάρχαιο δράμα.

Γυρίσαμε στὰ σπίτια μας τσακισμένοι
μ᾽ ἀνήμπορα μέλη, μὲ τὸ στόμα ρημαγμένο
ἀπὸ τὴ γέψη τῆς σκουριᾶς καὶ τῆς ἁρμύρας.
Ὅταν ξυπνήσαμε ταξιδέψαμε κατὰ τὸ βοριά, ξένοι
βυθισμένοι μέσα σὲ καταχνιὲς ἀπὸ τ᾽ ἄσπιλα φτερὰ τῶν
        κύκνων ποὺ μᾶς πληγῶναν.
Τὶς χειμωνιάτικες νύχτες μᾶς τρέλαινε ὁ δυνατὸς ἀγέρας
        τῆς ἀνατολῆς
τὰ καλοκαίρια χανόμαστην μέσα στὴν ἀγωνία τῆς μέρας
        ποὺ δὲν μποροῦσε νὰ ξεψυχήσει.

Φέραμε πίσω
        αὐτὰ τ᾽ ἀνάγλυφα μιᾶς τέχνης ταπεινῆς.

I

The angel-messenger
we waited for him fixedly for three years
observing closely
the pines the shore and the stars.
Becoming one with the plough's blade or the ship's keel
we sought to find once more the primal seed
so the age-old drama could begin again.

We returned to our homes shattered
with loosened limbs, our mouths raw
from the taste of rust and brine.
When we awoke we travelled towards the north, strangers
plunged into fogs by the immaculate wings of swans that
    savaged us.
On winter nights the strong wind from the east drove us
    mad
in summer we lost our bearings in the agony of the day
    that could not give up the ghost.

With us we brought back
these sculpted fragments of a vulgar art.

Β΄

Ἀκόμη ἕνα πηγάδι μέσα σὲ μιὰ σπηλιά.
Ἄλλοτε μᾶς ἦταν εὔκολο ν᾽ ἀντλήσουμε εἴδωλα καὶ στολίδια
γιὰ νὰ χαροῦν οἱ φίλοι ποὺ μᾶς ἔμεναν ἀκόμη πιστοί.

Ἔσπασαν τὰ σκοινιά· μονάχα οἱ χαρακιὲς στοῦ πηγαδιοῦ
     τὸ στόμα
μᾶς θυμίζουν τὴν περασμένη μας εὐτυχία:
τὰ δάχτυλα στὸ φιλιατρό, καθὼς ἔλεγε ὁ ποιητής.
Τὰ δάχτυλα νιώθουν τὴ δροσιὰ τῆς πέτρας λίγο
κι ἡ θέρμη τοῦ κορμιοῦ τὴν κυριεύει
κι ἡ σπηλιὰ παίζει τὴν ψυχή της καὶ τὴ χάνει
κάθε στιγμή, γεμάτη σιωπή, χωρὶς μιὰ στάλα.

II

Another waterhole inside a cave.
Once we found it easy to draw out idols and trinkets
to amuse those friends who still remained faithful to us.

The ropes have broken—only the grooves they made on
    the mouth of the well
remain to remind us of our past happiness:
'fingers on the rim', in the words of the poet.
Fingers sense the cool stone a little
and the body's heat overwhelms it
and the cave stakes its soul and loses it
every moment, full of silence, without a drop to drink.

Γ΄

Μέμνησο λουτρῶν οἷς ἐνοσφίσθης

Ξύπνησα μὲ τὸ μαρμάρινο τοῦτο κεφάλι στὰ χέρια
ποὺ μοῦ ἐξαντλεῖ τοὺς ἀγκῶνες καὶ δὲν ξέρω ποῦ νὰ
τ᾿ ἀκουμπήσω.
Ἔπεφτε στὸ ὄνειρο καθὼς ἔβγαινα ἀπὸ τὸ ὄνειρο
ἔτσι ἐνώθηκε ἡ ζωή μας καὶ θὰ εἶναι πολὺ δύσκολο νὰ
ξαναχωρίσει.

Κοιτάζω τὰ μάτια· μήτε ἀνοιχτὰ μήτε κλειστὰ
μιλῶ στὸ στόμα ποὺ ὅλο γυρεύει νὰ μιλήσει
κρατῶ τὰ μάγουλα ποὺ ξεπέρασαν τὸ δέρμα.
Δὲν ἔχω ἄλλη δύναμη·

τὰ χέρια μου χάνουνται καὶ μὲ πλησιάζουν
        ἀκρωτηριασμένα.

III

Be mindful of the bath by which thou wast slain[1]

I awoke to find this head of marble in my arms.
Its weight is too much for my elbows and there is
    nowhere for me lay it down.
It was falling into my dream as I was emerging from my
    dream
so our lives became united and it will be very hard to
    part them again.

I look at the eyes; not open not closed
I speak to the mouth that would speak if it could
I hold the cheeks that have passed beyond skin.
I have no strength left.

My arms are lost to sight, then come towards me
truncated.

---

1. Aeschylus, *The Libation Bearers.*

ΑΡΓΟΝΑΥΤΕΣ

Καὶ ψυχὴ
εἰ μέλλει γνώσεσθαι αὑτὴν
εἰς ψυχὴν
αὐτῇ βλεπτέον:
τὸν ξένο καὶ τὸν ἐχθρὸ τὸν εἴδαμε στὸν καθρέφτη.

Ἤτανε καλὰ παιδιὰ οἱ συντρόφοι, δὲ φωνάζαν
οὔτε ἀπὸ τὸν κάματο οὔτε ἀπὸ τὴ δίψα οὔτε ἀπὸ τὴν
    παγωνιά,
εἴχανε τὸ φέρσιμο τῶν δέντρων καὶ τῶν κυμάτων
ποὺ δέχουνται τὸν ἄνεμο καὶ τὴ βροχὴ
δέχουνται τὴ νύχτα καὶ τὸν ἥλιο
χωρὶς ν᾽ ἀλλάζουν μέσα στὴν ἀλλαγή.
Ἤτανε καλὰ παιδιά, μέρες ὁλόκληρες
ἴδρωναν στὸ κουπὶ μὲ χαμηλωμένα μάτια
ἀνασαίνοντας μὲ ρυθμὸ
καὶ τὸ αἷμα τους κοκκίνιζε ἕνα δέρμα ὑποταγμένο.
Κάποτε τραγούδησαν, μὲ χαμηλωμένα μάτια
ὅταν περάσαμε τὸ ἐρημόνησο μὲ τὶς ἀραποσυκιὲς
κατὰ τὴ δύση, πέρα ἀπὸ τὸν κάβο τῶν σκύλων
ποὺ γαβγίζουν.
Εἰ μέλλει γνώσεσθαι αὑτήν, ἔλεγαν
εἰς ψυχὴν βλεπτέον, ἔλεγαν
καὶ τὰ κουπιὰ χτυποῦσαν τὸ χρυσάφι τοῦ πελάγου

IV

ARGONAUTS

And soul
if she would know herself,
within a soul
it behoveth her to seek:[2]
it was the stranger and the enemy we saw in the mirror.

They were good lads, the companions, not shouting
either about toil or about thirst or about frost,
they had the bearing of trees and waves
in the face of the wind and the rain
in the face of night and the sun
unchanging in the midst of change.
They were good lads, days on end
sweating at the oars never raising their eyes
breathing in rhythm
their blood bringing a flush to their submissive hides.
Now and then they'd sing, without raising their eyes
while we passed by the uninhabited island with the
      prickly pears
to the west, beyond the promontory of dogs
that barked.
If she would know herself, they said
within a soul it behoveth, they said, to seek
and their oars beat upon the surface of the sea

μέσα στὸ ἡλιόγερμα.

Περάσαμε κάβους πολλοὺς πολλὰ νησιὰ τὴ θάλασσα
ποὺ φέρνει τὴν ἄλλη θάλασσα, γλάρους καὶ φώκιες.

Δυστυχισμένες γυναῖκες κάποτε μὲ ὀλολυγμοὺς
κλαίγανε τὰ χαμένα τους παιδιὰ
κι ἄλλες ἀγριεμένες γύρευαν τὸ Μεγαλέξαντρο
καὶ δόξες βυθισμένες στὰ βάθη τῆς Ἀσίας.
Ἀράξαμε σ' ἀκρογιαλιὲς γεμάτες ἀρώματα νυχτερινά
μὲ κελαηδίσματα πουλιῶν, νερὰ ποὺ ἀφήνανε στὰ χέρια
τὴ μνήμη μιᾶς μεγάλης εὐτυχίας.
Μὰ δὲν τελειῶναν τὰ ταξίδια.
Οἱ ψυχές τους ἔγιναν ἕνα μὲ τὰ κουπιὰ καὶ τοὺς σκαρμοὺς
μὲ τὸ σοβαρὸ πρόσωπο τῆς πλώρης
μὲ τ' αὐλάκι τοῦ τιμονιοῦ
μὲ τὸ νερὸ ποὺ ἔσπαζε τὴ μορφή τους.
Οἱ σύντροφοι τέλειωσαν μὲ τὴ σειρά,
μὲ χαμηλωμένα μάτια. Τὰ κουπιά τους
δείχνουν τὸ μέρος ποὺ κοιμοῦνται στ' ἀκρογιάλι.

Κανεὶς δὲν τοὺς θυμᾶται. Δικαιοσύνη.

that was like gold in the sunset.
We passed by many promontories many islands, the sea
that leads into another sea, gannets and seals.
Wretched women at one place wept with screeching cries
for children lost
while others, maddened, sought for Alexander the Great
and glories lost in the depths of Asia.
We moored at shores full of night-scents
with the song of birds, water that left upon our hands
the memory of some great happiness.
But the voyages did not end.
Their souls became one with their oars and the rowlocks
with the solemn face of the figurehead
with the wake behind the rudder
with the seawater that ravaged their looks.
The companions came to the end one by one,
never raising their eyes. Their oars
mark the spot where they lie upon the shore.

No one remembers them. Justice.

---

2. Plato, 'Alcibiades', quoted in the original ancient Greek.

Δὲν τοὺς γνωρίσαμε
                    ἦταν ἡ ἐλπίδα στὸ βάθος ποὺ ἔλεγε
πὼς τοὺς εἴχαμε γνωρίσει ἀπὸ μικρὰ παιδιά.

Τοὺς εἴδαμε ἴσως δυὸ φορὲς κι ἔπειτα πῆραν τὰ καράβια·
φορτία κάρβουνο, φορτία γεννήματα, κι οἱ φίλοι μας
χαμένοι πίσω ἀπὸ τὸν ὠκεανό παντοτινά.
Ἡ αὐγὴ μᾶς βρίσκει πλάι στὴν κουρασμένη λάμπα
νὰ γράφουμε ἀδέξια καὶ μὲ προσπάθεια στὸ χαρτί
πλεούμενα γοργόνες ἢ κοχύλια·
τὸ ἀπόβραδο κατεβαίνουμε στὸ ποτάμι
γιατὶ μᾶς δείχνει τὸ δρόμο πρὸς τὴ θάλασσα,
καὶ περνοῦμε τὶς νύχτες σὲ ὑπόγεια ποὺ μυρίζουν
        κατράμι.

Οἱ φίλοι μας ἔφυγαν
                    ἴσως νὰ μὴν τοὺς εἴδαμε ποτές, ἴσως
νὰ τοὺς συναπαντήσαμε ὅταν ἀκόμη ὁ ὕπνος
μᾶς ἔφερνε πολὺ κοντὰ στὸ κύμα ποὺ ἀνασαίνει
ἴσως νὰ τοὺς γυρεύουμε γιατὶ γυρεύουμε τὴν ἄλλη ζωή,
πέρα ἀπὸ τ᾽ ἀγάλματα.

V

We did not know those people

                           it was a buried hope that said
we had known them since our earliest years.
We had seen them perhaps twice before they took to the
    ships;
cargoes of coal, cargoes of cereals, and our friends
lost beyond the ocean for good.
Daybreak finds us by the tired lamp
sketching awkwardly and with effort on paper
sailing craft, mermaids or sea-shells;
at evening we go down to the river
because it points for us the way towards the sea,
we spend our nights in basement rooms that smell of
    caulking.

Our friends have gone

              it may be that we never did see them, it may be
that we encountered them at a time when sleep still
brought us very close to the breathing wave
it may be that we seek them because we seek the other life,
the life beyond statues.

ΣΤ΄

M.P.

Τὸ περιβόλι μὲ τὰ σιντριβάνια του στὴ βροχὴ
θὰ τὸ βλέπεις μόνο ἀπὸ τὸ χαμηλὸ παράθυρο
πίσω ἀπὸ τὸ θολὸ τζάμι. Ἡ κάμαρά σου
θὰ φωτίζεται μόνο ἀπὸ τὴ φλόγα τοῦ τζακιοῦ
καὶ κάποτε, στὶς μακρινὲς ἀστραπὲς θὰ φαίνουνται
οἱ ρυτίδες τοῦ μετώπου σου, παλιέ μου Φίλε.

Τὸ περιβόλι μὲ τὰ σιντριβάνια ποὺ ἦταν στὸ χέρι σου
ρυθμὸς τῆς ἄλλης ζωῆς, ἔξω ἀπὸ τὰ σπασμένα
μάρμαρα καὶ τὶς κολόνες τὶς τραγικὲς
κι ἕνας χορὸς μέσα στὶς πικροδάφνες
κοντὰ στὰ καινούργια λατομεῖα,
ἕνα γυαλὶ θαμπὸ θὰ τό 'χει κόψει ἀπὸ τὶς ὧρες σου.
Δὲ θ' ἀνασάνεις· τὸ χῶμα κι ὁ χυμὸς τῶν δέντρων
θὰ ὁρμοῦν ἀπὸ τὴ μνήμη σου γιὰ νὰ χτυπήσουν
πάνω στὸ τζάμι αὐτὸ ποὺ τὸ χτυπᾶ ἡ βροχὴ
ἀπὸ τὸν ἔξω κόσμο.

VI

M[AURICE] R[AVEL]

The garden with the ornamental fountains in the rain
you will be able to see only through the low-placed window
from behind the misted pane. Your room
will be lit only by the flame of the hearth
and sometimes, the far-off gleam of lightning will show
the wrinkles of your brow, my old Friend.

The garden with the ornamental fountains that in your
     hands
was the rhythm of the other life, beyond the broken
marble statues and the tragic columns,
that was a dance among the oleander bushes
close by the new stone-quarries,
a dark glass will have severed from your life.
You will have no breath left; but the soil and the trees' sap
bursting from your memory will keep beating
against the very glass beaten by the rain
from the outside world.

Ζ΄

NOTIΑΣ

Τὸ πέλαγο σμίγει κατὰ τὴ δύση μιὰ βουνοσειρά.
Ζερβά μας ὁ νοτιὰς φυσάει καὶ μᾶς τρελαίνει,
αὐτὸς ὁ ἀγέρας ποὺ γυμνώνει τὰ κόκαλα ἀπ᾽ τὴ σάρκα.
Τὸ σπίτι μας μέσα στὰ πεῦκα καὶ στὶς χαρουπιές.
Μεγάλα παράθυρα. Μεγάλα τραπέζια
γιὰ νὰ γράφουμε τὰ γράμματα ποὺ σοῦ γράφουμε
τόσους μῆνες καὶ τὰ ρίχνουμε
μέσα στὸν ἀποχωρισμὸ γιὰ νὰ γεμίσει.

Ἄστρο τῆς αὐγῆς, ὅταν χαμήλωνες τὰ μάτια
οἱ ὧρες μας ἦταν πιὸ γλυκιὲς ἀπὸ τὸ λάδι
πάνω στὴν πληγή, πιὸ πρόσχαρες ἀπὸ τὸ κρύο νερὸ
στὸν οὐρανίσκο, πιὸ γαλήνιες ἀπὸ τὰ φτερὰ τοῦ κύκνου.
Κρατοῦσες τὴ ζωή μας στὴν παλάμη σου.
Ὕστερα ἀπ᾽ τὸ πικρὸ ψωμὶ τῆς ξενιτιᾶς
τὴ νύχτα ἂν μείνουμε μπροστὰ στὸν ἄσπρο τοῖχο
ἡ φωνή σου μᾶς πλησιάζει σὰν ἔλπιση φωτιᾶς
καὶ πάλι αὐτὸς ὁ ἀγέρας ἀκονίζει
πάνω στὰ νεῦρα μας ἕνα ξυράφι.

Σοῦ γράφουμε ὁ καθένας τὰ ἴδια πράματα
καὶ σωπαίνει ὁ καθένας μπρὸς στὸν ἄλλον
κοιτάζοντας, ὁ καθένας, τὸν ἴδιο κόσμο χωριστὰ
τὸ φῶς καὶ τὸ σκοτάδι στὴ βουνοσειρὰ
κι ἐσένα.

VII

SOUTH WIND

The sea towards the west ends in a mountain range.
To leftward the south wind blows to make us mad,
this wind that strips flesh bare to the bone.
Our houses sit among the pines and the carob groves.
Large windows. Large tables
where we write the letters we have been writing to you
these months past and throwing them
into the distance that divides us from you to try to fill it in.

Star of dawn, when you used to lower your eyes
the hours we passed were sweeter than balsam
on a wound, more delightful than cool water
on the tongue, more serene than swan's down.
In those days you held our lives in the palm of your hand.
Now, since the bitter bread of exile
if we should spend the night before the white wall
your voice comes towards us like a promise of fire
and all the while this wind sharpens
our nerves like a razor.

We write to you each of us the same things
and each is silent before his fellow
observing, each of us, the same world separately
the light and darkness on the mountain range
and you.

Ποιὸς θὰ σηκώσει τὴ θλίψη τούτη ἀπ' τὴν καρδιά μας;
Χτὲς βράδυ μιὰ νεροποντὴ καὶ σήμερα
βαραίνει πάλι ὁ σκεπασμένος οὐρανός. Οἱ στοχασμοί μας
σὰν τὶς πευκοβελόνες τῆς χτεσινῆς νεροποντῆς
στὴν πόρτα τοῦ σπιτιοῦ μας μαζεμένοι κι ἄχρηστοι
θέλουν νὰ χτίσουν ἕναν πύργο ποὺ γκρεμίζει.

Μέσα σὲ τοῦτα τὰ χωριὰ τ' ἀποδεκατισμένα
πάνω σ' αὐτὸ τὸν κάβο, ξέσκεπο στὸ νοτιὰ
μὲ τὴ βουνοσειρὰ μπροστά μας ποὺ σὲ κρύβει,
ποιὸς θὰ μᾶς λογαριάσει τὴν ἀπόφαση τῆς λησμονιᾶς;
Ποιὸς θὰ δεχτεῖ τὴν προσφορά μας, στὸ τέλος αὐτὸ τοῦ
    φθινοπώρου.

Who will lift this despair from our hearts?
Last evening came a shower of rain and today
the clouds bear down again. Our thoughts
like the pine-needles of yesterday's shower
in our doorways piled up and useless
strive to build castles in the air.

Surrounded by these decimated villages
upon this headland, exposed to the south wind
facing the mountain range that hides you from us,
who is there to take stock for us of this wilful forgetting?
Who is there to receive our offering, now at autumn's end?

Η΄

Μὰ τί γυρεύουν οἱ ψυχές μας ταξιδεύοντας
πάνω σὲ καταστρώματα κατελυμένων καραβιῶν
στριμωγμένες μὲ γυναῖκες κίτρινες καὶ μωρὰ ποὺ κλαῖνε
χωρὶς νὰ μποροῦν νὰ ξεχαστοῦν οὔτε μὲ τὰ χελιδονόψαρα
οὔτε μὲ τ᾽ ἄστρα ποὺ δηλώνουν στὴν ἄκρη τὰ κατάρτια.
Τριμμένες ἀπὸ τοὺς δίσκους τῶν φωνογράφων
δεμένες ἄθελα μ᾽ ἀνύπαρχτα προσκυνήματα
μουρμουρίζοντας σπασμένες σκέψεις ἀπὸ ξένες γλῶσσες.

Μὰ τί γυρεύουν οἱ ψυχές μας ταξιδεύοντας
πάνω στὰ σαπισμένα θαλάσσια ξύλα
ἀπὸ λιμάνι σὲ λιμάνι;

Μετακινώντας τσακισμένες πέτρες, ανασαίνοντας
τὴ δροσιὰ τοῦ πεύκου πιὸ δύσκολα κάθε μέρα,
κολυμπώντας στὰ νερὰ τούτης τῆς θάλασσας
κι ἐκείνης τῆς θάλασσας,
χωρὶς ἀφὴ
χωρὶς ἀνθρώπους
μέσα σὲ μιὰ πατρίδα ποὺ δὲν εἶναι πιὰ δική μας
οὔτε δική σας.

Τὸ ξέραμε πὼς ἦταν ὡραῖα τὰ νησιὰ
κάπου ἐδῶ τριγύρω ποὺ ψηλαφοῦμε
λίγο πιὸ χαμηλὰ ἢ λίγο πιὸ ψηλὰ
ἕνα ἐλάχιστο διάστημα.

VIII

But what do our souls seek voyaging
on the decks of clapped-out ships
squashed together with seasick women and crying babies
unconsoled by the sight of flying fish
or the stars that signify beyond the masts' tips;
ground down by the sound of phonographs
bound against their will to non-existent pilgrimages
muttering broken thoughts from borrowed tongues?

But what do our souls seek voyaging
upon these rotten hulls
from harbour to harbour?

Transporting shattered stones, breathing
the cool air of the pines with more difficulty each day,
bathing in the waters of this sea
and that sea,
without a sense of touch
without human beings
in a homeland that no longer belongs to us
nor to any of you either.

We knew that there were beautiful islands once
somewhere hereabouts where we feel our way
a little lower down, a little higher up
an infinitesimal distance away.

Θ΄

Εἶναι παλιὸ τὸ λιμάνι, δὲν μπορῶ πιὰ νὰ περιμένω
οὔτε τὸ φίλο ποὺ ἔφυγε στὸ νησὶ μὲ τὰ πεῦκα
οὔτε τὸ φίλο ποὺ ἔφυγε στὸ νησὶ μὲ τὰ πλατάνια
οὔτε τὸ φίλο ποὺ ἔφυγε γιὰ τ᾽ ἀνοιχτά.
Χαϊδεύω τὰ σκουριασμένα κανόνια, χαϊδεύω τὰ κουπιὰ
νὰ ζωντανέψει τὸ κορμί μου καὶ ν᾽ ἀποφασίσει.
Τὰ καραβόπανα δίνουν μόνο τὴ μυρωδιὰ
τοῦ ἁλατιοῦ τῆς ἄλλης τρικυμίας.

Ἂν τὸ θέλησα νὰ μείνω μόνος, γύρεψα
τὴ μοναξιά, δὲ γύρεψα μιὰ τέτοια ἀπαντοχή,
τὸ κομμάτιασμα τῆς ψυχῆς μου στὸν ὁρίζοντα,
αὐτὲς τὶς γραμμές, αὐτὰ τὰ χρώματα, αὐτὴ τὴ σιγή.

Τ᾽ ἄστρα τῆς νύχτας μὲ γυρίζουν στὴν προσδοκία
τοῦ Ὀδυσσέα γιὰ τοὺς νεκροὺς μὲς στ᾽ ἀσφοδίλια.
Μὲς στ᾽ ἀσφοδίλια σὰν ἀράξαμε ἐδῶ-πέρα θέλαμε νὰ
    βροῦμε
τὴ λαγκαδιὰ ποὺ εἶδε τὸν Ἄδωνι λαβωμένο.

IX

The harbour is old, I can no longer wait
for the friend who left for the island with the pines
or for the friend who left for the island with the plane-trees
or for the friend who left for the open sea.
I stroke the rusted cannons, I stroke the oars
to bring my body to life and to a decision.
The sailcloth gives off only the smell
of salt from the other tempest.

If it had been my wish to be alone, to seek out
solitude, I would not have wished for such a state of
    suspense,
the shredding of my soul to the horizon,
these lines, these colours, this silence.

The stars at night point me towards the hope
invested by Odysseus in the dead among the asphodels.
Among the asphodels when we moored right here we
    thought to find
the dale that saw Adonis wounded.

Ὁ τόπος μας εἶναι κλειστός, ὅλο βουνὰ
ποὺ ἔχουν σκεπὴ τὸ χαμηλὸ οὐρανὸ μέρα καὶ νύχτα.
Δὲν ἔχουμε ποτάμια δὲν ἔχουμε πηγάδια δὲν ἔχουμε πηγές,
μονάχα λίγες στέρνες, ἄδειες κι αὐτές, ποὺ ἠχοῦν καὶ ποὺ
    τὶς προσκυνοῦμε.
Ἦχος στεκάμενος κούφιος, ἴδιος μὲ τὴ μοναξιά μας
ἴδιος μὲ τὴν ἀγάπη μας, ἴδιος μὲ τὰ σώματά μας.
Μᾶς φαίνεται παράξενο ποὺ κάποτε μπορέσαμε νὰ χτίσουμε
τὰ σπίτια τὰ καλύβια καὶ τὶς στάνες μας.
Κι οἱ γάμοι μας, τὰ δροσερὰ στεφάνια καὶ τὰ δάχτυλα
γίνουνται αἰνίγματα ἀνεξήγητα γιὰ τὴν ψυχή μας.
Πῶς γεννηθῆκαν πῶς δυναμώσανε τὰ παιδιά μας;

Ὁ τόπος μας εἶναι κλειστός. Τὸν κλείνουν
οἱ δυὸ μαῦρες Συμπληγάδες. Στὰ λιμάνια
τὴν Κυριακὴ σὰν κατεβοῦμε ν᾿ ἀνασάνουμε
βλέπουμε νὰ φωτίζουνται στὸ ἡλιόγερμα
σπασμένα ξύλα ἀπὸ ταξίδια ποὺ δὲν τέλειωσαν
σώματα ποὺ δὲν ξέρουν πιὰ πῶς ν᾿ ἀγαπήσουν.

X

Our country is a closed place, all mountains
roofed over by the low sky day and night.
We have no rivers we have no wells we have no springs,
only a few underground tanks, empty too, that echo and
    we treat as sacred.
A hollow, stagnant sound, just like our loneliness
just like our loves, just like our bodies.
It seems to us extraordinary that once we built
our houses our huts and our sheepfolds.
Our marriages, cool garlands and rings on fingers
are becoming riddles that our souls cannot explain.
How did our children come to be born, how grow strong?

Our country is a closed place. Two black
Clashing Rocks enclose it. In the harbours
when we go down on Sundays for a breath of air
we see lit up in the sunset
the broken timbers of voyages that never ended
bodies that no longer know how to love.

ΙΑ´

Τὸ αἷμα σου πάγωνε κάποτε σὰν τὸ φεγγάρι,
μέσα στὴν ἀνεξάντλητη νύχτα τὸ αἷμα σου
ἅπλωνε τὶς ἄσπρες του φτεροῦγες πάνω
στοὺς μαύρους βράχους τὰ σχήματα τῶν δέντρων καὶ
    τὰ σπίτια
μὲ λίγο φῶς ἀπὸ τὰ παιδικά μας χρόνια.

XI

Your blood would freeze sometimes just like the moon
in the boundless night your blood
would spread its white wings over
dark rocks and shapes of trees and houses
casting a little light from our earliest years.

ΙΒ΄

ΜΠΟΤΙΛΙΑ ΣΤΟ ΠΕΛΑΓΟ

Τρεῖς βράχοι λίγα καμένα πεῦκα κι ἕνα ρημοκλήσι
καὶ παραπάνω
τὸ ἴδιο τοπίο ἀντιγραμμένο ξαναρχίζει·
τρεῖς βράχοι σὲ σχῆμα πύλης, σκουριασμένοι
λίγα καμένα πεῦκα, μαῦρα καὶ κίτρινα
κι ἕνα τετράγωνο σπιτάκι θαμμένο στὸν ἀσβέστη·
καὶ παραπάνω ἀκόμη πολλὲς φορὲς
τὸ ἴδιο τοπίο ξαναρχίζει κλιμακωτὰ
ὣς τὸν ὁρίζοντα ὣς τὸν οὐρανὸ ποὺ βασιλεύει.

Ἐδῶ ἀράξαμε τὸ καράβι νὰ ματίσουμε τὰ σπασμένα κουπιά,
νὰ πιοῦμε νερὸ καὶ νὰ κοιμηθοῦμε.
Ἡ θάλασσα ποὺ μᾶς πίκρανε εἶναι βαθιὰ κι ἀνεξερεύνητη
καὶ ξεδιπλώνει μιὰν ἀπέραντη γαλήνη.
Ἐδῶ μέσα στὰ βότσαλα βρήκαμε ἕνα νόμισμα
καὶ τὸ παίξαμε στὰ ζάρια.
Τὸ κέρδισε ὁ μικρότερος καὶ χάθηκε.

Ξαναμπαρκάραμε μὲ τὰ σπασμένα μας κουπιά.

XII

Three rocks a few burnt pines and a deserted country church
and higher up
the same landscape replicated starts again;
three rocks shaped like a gateway, the colour of rust
a few pines, black and yellow
a box-shaped house buried in whitewash;
and higher up many times more
the same landscape starts again
as far as the horizon as far as the setting sky.

Here we moored our ship to splice our broken oars,
to drink water and to sleep.
The sea that made us bitter is unfathomably deep
and spreads out unendingly serene.
Here among the shingle we found a coin
and threw dice for it.
The youngest won it and was never seen again.

We re-embarked, our oars still broken.

ΙΓ΄

ΥΔΡΑ

Δελφίνια φλάμπουρα καὶ κανονιές.
Τὸ πέλαγο τόσο πικρὸ γιὰ τὴν ψυχή σου κάποτε,
σήκωνε τὰ πολύχρωμα κι ἀστραφτερὰ καράβια
λύγιζε, τὰ κλυδώνιζε κι ὅλο μαβὶ μ' ἄσπρα φτερά,
τόσο πικρὸ γιὰ τὴν ψυχή σου κάποτε
τώρα γεμάτο χρώματα στὸν ἥλιο.

Ἄσπρα πανιὰ καὶ φῶς καὶ τὰ κουπιὰ τὰ ὑγρὰ
χτυποῦσαν μὲ ρυθμὸ τυμπάνου ἕνα ἡμερωμένο κύμα.

Θά ἦταν ὡραῖα τὰ μάτια σου νὰ κοίταζαν
θά ἦταν λαμπρὰ τὰ χέρια σου ν' ἀπλώνουνταν
θά ἦταν σὰν ἄλλοτε ζωηρὰ τὰ χείλια σου
μπρὸς σ' ἕνα τέτοιο θάμα·
τὸ γύρευες
          τί γύρευες μπροστὰ στὴ στάχτη
ἢ μέσα στὴ βροχὴ στὴν καταχνιὰ στὸν ἄνεμο,
τὴν ὥρα ἀκόμη ποὺ χαλάρωναν τὰ φῶτα
κι ἡ πολιτεία βύθιζε κι ἀπὸ τὶς πλάκες
σοῦ 'δειχνε τὴν καρδιά του ὁ Ναζωραῖος,
τί γύρευες; γιατί δὲν ἔρχεσαι; τί γύρευες;

XIII

HYDRA

Dolphins pennants cannon-fire.
The sea that once made your soul so bitter
raised up the brightly-coloured shimmering ships
then crumpled, tossed them with dark blue everywhere
    and white wings,
that once made your soul so bitter
now filled with colours in the sun.

White sails and sunlight and the wet oars
striking with the rhythm of a drum upon the chastened
    wave.

Your eyes would have been beautiful, seeing
your arms would have been bright, reaching out
your lips would have come alive as once they did
before a miracle like that;
you used to seek it
        you used to seek it in the ashes of the hearth
or in the rain the fog the wind,
even at the hour when the light began to fail
and the city darkened and from a drawing on the pavement
the Nazarene revealed his heart to you,
what were you seeking? why not come here? what were
    you seeking?

ΙΔ΄

Τρία κόκκινα περιστέρια μέσα στὸ φῶς
χαράζοντας τὴ μοίρα μας μέσα στὸ φῶς
μὲ χρώματα καὶ χειρονομίες ἀνθρώπων
ποὺ ἀγαπήσαμε.

XIV

Three russet doves in the light
drawing the shape of our fate in the light
with the complexions and the gestures of those
whom we have loved.

ΙΕ΄

Quid πλατανὼν opacissimus?

Ὁ ὕπνος σὲ τύλιξε, σὰν ἕνα δέντρο, μὲ πράσινα φύλλα,
ἀνάσαινες, σὰν ἕνα δέντρο, μέσα στὸ ἥσυχο φῶς,
μέσα στὴ διάφανη πηγὴ κοίταξα τὴ μορφή σου·
κλεισμένα βλέφαρα καὶ τὰ ματόκλαδα χάραζαν τὸ νερό.
Τὰ δάχτυλά μου στὸ μαλακὸ χορτάρι, βρῆκαν τὰ δάχτυλά σου
κράτησα τὸ σφυγμό σου μιὰ στιγμὴ
κι ἔνιωσα ἀλλοῦ τὸν πόνο τῆς καρδιᾶς σου.

Κάτω ἀπὸ τὸ πλατάνι, κοντὰ στὸ νερό, μέσα στὶς δάφνες
ὁ ὕπνος σὲ μετακινοῦσε καὶ σὲ κομμάτιαζε
γύρω μου, κοντά μου, χωρὶς νὰ μπορῶ νὰ σ' ἀγγίξω ὁλό-
    κληρη,
ἑνωμένη μὲ τὴ σιωπή σου·
βλέποντας τὸν ἴσκιο σου νὰ μεγαλώνει καὶ νὰ μικραίνει,
νὰ χάνεται στοὺς ἄλλους ἴσκιους, μέσα στὸν ἄλλο
κόσμο ποὺ σ' ἄφηνε καὶ σὲ κρατοῦσε.

Τὴ ζωὴ ποὺ μᾶς ἔδωσαν νὰ ζήσουμε, τὴ ζήσαμε.
Λυπήσου ἐκείνους ποὺ περιμένουν μὲ τόση ὑπομονὴ
χαμένοι μέσα στὶς μαῦρες δάφνες κάτω ἀπὸ τὰ βαριὰ
    πλατάνια
κι ὅσους μονάχοι τους μιλοῦν σὲ στέρνες καὶ σὲ πηγάδια
καὶ πνίγουνται μέσα στοὺς κύκλους τῆς φωνῆς.
Λυπήσου τὸ σύντροφο ποὺ μοιράστηκε τὴ στέρησή μας
    καὶ τὸν ἱδρώτα

— 54 —

XV

How fares the abundant plane-tree?[3]

Sleep enfolded you, like a tree, in green leaves
you were breathing, like a tree, in the peaceful light
in a crystal fountain I observed your reflection;
eyelids closed, your lashes engraved upon the water.
My fingers on the soft grass found your fingers
I held your pulse for a moment
and it was as though my heart's pain was elsewhere.

Beneath the plane-tree, close to the water, among the
    laurels
sleep transposed you and broke you into fragments
around me, by me, without my being able to touch you
    entire,
you were at one with your silence;
watching your shadow wax and wane,
losing itself in other shadows, in the other
world that let you go and held you too.

The life that we were given to live, we have lived.
Take pity on those who wait with so much patience
lost among dark laurels below the heavy plane-trees
and those who all alone would speak to wells and cisterns
and drown within the ripples of the voice.
Take pity on the companion who shared our deprivation
    and our sweat

καὶ βύθισε μέσα στὸν ἥλιο σὰν κοράκι πέρα ἀπ' τὰ μάρ-
μαρα,
χωρὶς ἐλπίδα νὰ χαρεῖ τὴν ἀμοιβή μας.

Δῶσε μας, ἔξω ἀπὸ τὸν ὕπνο, τὴ γαλήνη.

and plunged into the sun just like a crow beyond the marble
    statues,
without hope of enjoying our reward.

Give us, outside sleep, serenity.

---

3. Pliny, *Letters*.

ΙΣΤ΄

ὄνομα δ᾽ Ὀρέστης

Στὴ σφενδόνη, πάλι στὴ σφενδόνη, στὴ σφενδόνη,
πόσοι γύροι, πόσοι αἱμάτινοι κύκλοι, πόσες μαῦρες
σειρές· οἱ ἄνθρωποι ποὺ μὲ κοιτάζουν,
ποὺ μὲ κοιτάζαν ὅταν πάνω στὸ ἅρμα
σήκωσα τὸ χέρι λαμπρός, κι ἀλάλαξαν.

Οἱ ἀφροὶ τῶν ἀλόγων μὲ χτυποῦν, τ᾽ ἄλογα πότε θ᾽ ἀπο-
στάσουν;
Τρίζει ὁ ἄξονας, πυρώνει ὁ ἄξονας, πότε ὁ ἄξονας θ᾽ ἀνά-
ψει;
Πότε θὰ σπάσουν τὰ λουριά, πότε τὰ πέταλα
θὰ πατήσουν μ᾽ ὅλο τὸ πλάτος πάνω στὸ χῶμα
πάνω στὸ μαλακὸ χορτάρι, μέσα στὶς παπαροῦνες ὅπου
τὴν ἄνοιξη μάζεψες μιὰ μαργαρίτα.
Ἦταν ὡραῖα τὰ μάτια σου μὰ δὲν ἤξερες ποῦ νὰ κοιτάξεις
δὲν ἤξερα ποῦ νὰ κοιτάξω μήτε κι ἐγώ, χωρὶς πατρίδα
ἐγὼ ποὺ μάχομαι ἐδῶ-πέρα, πόσοι γύροι;
καὶ νιώθω τὰ γόνατα νὰ λυγίζουν πάνω στὸν ἄξονα
πάνω στὶς ρόδες πάνω στὸν ἄγριο στίβο,
τὰ γόνατα λυγίζουν εὔκολα σὰν τὸ θέλουν οἱ θεοί,
κανεὶς δὲν μπορεῖ νὰ ξεφύγει, τί νὰ τὴν κάνεις τὴ δύ-
ναμη, δὲν μπορεῖς
νὰ ξεφύγεις τὴ θάλασσα ποὺ σὲ λίκνισε καὶ ποὺ γυρεύεις
τούτη τὴν ὥρα τῆς ἀμάχης, μέσα στὴν ἀλογίσια ἀνάσα,

XVI

by name, Orestes[4]

On the racetrack, once more on the racetrack, on the
    racetrack,
how many circuits, how many blood-soaked circuits, how
    many dark
tiers of spectators, watching me,
watching while aloft on my chariot
I raised my arm in victory, and they went wild with
    cheering.

Foam from the horses lashes me, when will the horses
    weary?
The axle creaks, the axle glows redhot, when will the axle
    catch fire?
When will the reins break, when will the horseshoes
tread flat upon the ground
upon the soft grass, among the poppies where
in spring you used to gather daisies?
How beautiful were your eyes but you knew not where to
    look
and nor did I, a man without a homeland
battling right here—how many circuits now?—
I feel my knees give way above the axle
above the wheels above the cruel track,
knees give way easily when the gods so wish,

μὲ τὰ καλάμια ποὺ τραγουδοῦσαν τὸ φθινόπωρο σὲ τρό-
   πο λυδικό,
τὴ θάλασσα ποὺ δὲν μπορεῖς νὰ βρεῖς ὅσο κι ἂν τρέχεις
ὅσο κι ἂν γυρίζεις μπροστὰ στὶς μαῦρες Εὐμενίδες ποὺ
   βαριοῦνται,
χωρὶς συχώρεση.

none can escape, strength is of no avail, you cannot
escape the sea that rocked your cradle, that you seek
in this moment of struggle, amidst the breath of horses
with the sound of reed-pipes that used to sing, in autumn
    in the Lydian mode,
of the sea that you cannot find, however fast you go
however many circuits you complete, watched by the
    dark Furies who, bored,
do not forgive.

---

4. Sophocles, *Electra*: The words come from a false report that Orestes
has been killed in a chariot-race at Delphi. The ruse helps Orestes to
fulfil his determination to kill his mother in revenge for the killing
of his father, Agamemnon, thus perpetuating the cycle of vengeance
into a new generation. For this act he would be persued by the Furies,
alluded to in the poem's closing lines.

ΙΖ΄

Τώρα ποὺ θὰ φύγεις πάρε μαζί σου καὶ τὸ παιδὶ
ποὺ εἶδε τὸ φῶς κάτω ἀπὸ ἐκεῖνο τὸ πλατάνι,
μιὰ μέρα ποὺ ἀντηχοῦσαν σάλπιγγες κι ἔλαμπαν ὅπλα
καὶ τ᾽ ἄλογα ἱδρωμένα σκύβανε ν᾽ ἀγγίξουν
τὴν πράσινη ἐπιφάνεια τοῦ νεροῦ
στὴ γούρνα μὲ τὰ ὑγρά τους τὰ ρουθούνια.

Οἱ ἐλιὲς μὲ τὶς ρυτίδες τῶν γονιῶν μας
τὰ βράχια μὲ τὴ γνώση τῶν γονιῶν μας
καὶ τὸ αἷμα τοῦ ἀδερφοῦ μας ζωντανὸ στὸ χῶμα
ἤτανε μιὰ γερὴ χαρὰ μιὰ πλούσια τάξη
γιὰ τὶς ψυχὲς ποὺ γνώριζαν τὴν προσευχή τους.

Τώρα ποὺ θὰ φύγεις, τώρα ποὺ ἡ μέρα τῆς πληρωμῆς
χαράζει, τώρα ποὺ κανεὶς δὲν ξέρει
ποιὸν θὰ σκοτώσει καὶ πῶς θὰ τελειώσει,
πάρε μαζί σου τὸ παιδὶ ποὺ εἶδε τὸ φῶς
κάτω ἀπ᾽ τὰ φύλλα ἐκείνου τοῦ πλατάνου
καὶ μάθε του νὰ μελετᾶ τὰ δέντρα.

XVII

ASTYANAX[5]

Now that you are leaving, take with you also the child
that saw the light beneath the plane-tree yonder,
on a day when trumpets sounded and weapons flashed
and sweating horses bent down to touch
the pale-green surface of the water
in the trough with their moist nostrils.

The olive-trees that bore the wrinkles of our forefathers
the rocks that bore the wisdom of our forefathers
our brother's life-blood spilt upon the earth—
these things were a healthy joy, a rich array
to those souls that knew how to say their prayers.

Now that you are leaving, now that the day of reckoning
is dawning, now that no one knows
whom he will kill and how he will die,
take with you the child that saw the light
beneath the leaves of yonder plane-tree
and instruct him in the lore of trees.

---

5. The young son of Hector and Andromache, and potential heir to the
   throne of Troy, put to death by the victorious Greeks at the end of
   the Trojan War.

Λυποῦμαι γιατὶ ἄφησα νὰ περάσει ἕνα πλατὺ ποτάμι
    μέσα ἀπὸ τὰ δάχτυλά μου
χωρὶς νὰ πιῶ οὔτε μιὰ στάλα.
Τώρα βυθίζομαι στὴν πέτρα.
Ἕνα μικρὸ πεῦκο στὸ κόκκινο χῶμα,
δὲν ἔχω ἄλλη συντροφιά.
Ὅ,τι ἀγάπησα χάθηκε μαζὶ μὲ τὰ σπίτια
ποὺ ἦταν καινούργια τὸ περασμένο καλοκαίρι
καὶ γκρέμισαν μὲ τὸν ἀγέρα τοῦ φθινοπώρου.

XVIII

I regret having let a broad river pass through my
    fingers
without drinking a single drop.
Now I am sinking into stone.
A small pine-tree on the red earth,
I have no other company.
All that I loved has gone, along with the houses
that were new this summer past
and fell down in the autumn gale.

ΙΘ´

Κι ἂν ὁ ἀγέρας φυσᾶ δὲ μᾶς δροσίζει
κι ὁ ἴσκιος μένει στενὸς κάτω ἀπ' τὰ κυπαρίσσια
κι ὅλο τριγύρω ἀνήφοροι στὰ βουνά·

μᾶς βαραίνουν
οἱ φίλοι ποὺ δὲν ξέρουν πιὰ πῶς νὰ πεθάνουν.

XIX

Even if the wind does blow it brings us no relief
the shade cast by the cypress-tree is tight and narrow
and all around are steep paths leading to the mountains;

they weigh upon us
those friends who no longer know how to die.

Κ΄

Στὸ στῆθος μου ἡ πληγὴ ἀνοίγει πάλι
ὅταν χαμηλώνουν τ' ἄστρα καὶ συγγενεύουν μὲ τὸ κορμί μου
ὅταν πέφτει σιγὴ κάτω ἀπὸ τὰ πέλματα τῶν ἀνθρώπων.

Αὐτὲς οἱ πέτρες ποὺ βουλιάζουν μέσα στὰ χρόνια ὣς ποῦ
    θὰ μὲ παρασύρουν;
Τὴ θάλασσα τὴ θάλασσα, ποιὸς θὰ μπορέσει νὰ τὴν ἐξαν-
    τλήσει;
Βλέπω τὰ χέρια κάθε αὐγὴ νὰ γνέφουν στὸ γύπα καὶ στὸ
    γεράκι
δεμένη πάνω στὸ βράχο ποὺ ἔγινε μὲ τὸν πόνο δικός μου,
βλέπω τὰ δέντρα ποὺ ἀνασαίνουν τὴ μαύρη γαλήνη τῶν
    πεθαμένων
κι ἔπειτα τὰ χαμόγελα, ποὺ δὲν προχωροῦν, τῶν ἀγαλμάτων.

XX

[ANDROMEDA][6]

In my breast the wound opens again
when the stars go down and become kin with my body
when silence falls beneath the footprints of mankind.

These stones that sink into the years, how far will they
    drag me with them?
The sea, the sea, who can ever drain it dry?[7]
I see the hands that every day at dawn make signs to the
    vulture and the hawk
myself a woman chained upon the rock that suffering has
    made my own
I see the trees that breathe the dark serenity of the dead
and then the smiles—fixed, half-formed—of the statues.

---

6. A mythical princess of Ethiopia, rescued by the hero Perseus after she had been chained to a rock to be devoured by a sea-serpent. The title was added to the 8th edition of *Poems* by the editor, G.P. Savvidis, after it had appeared in translations apparently with the poet's approval.

7. The poet translates into Modern Greek line 958 of Aeschylus' *Agamemnon*, spoken by Clytemnestra as she lures her husband to his death.

ΚΑ'

Ἐμεῖς ποὺ ξεκινήσαμε γιὰ τὸ προσκύνημα τοῦτο
κοιτάξαμε τὰ σπασμένα ἀγάλματα
ξεχαστήκαμε καὶ εἴπαμε πὼς δὲ χάνεται ἡ ζωὴ τόσο
    εὔκολα
πὼς ἔχει ὁ θάνατος δρόμους ἀνεξερεύνητους
καὶ μιὰ δική του δικαιοσύνη·

πὼς ὅταν ἐμεῖς ὀρθοὶ στὰ πόδια μας πεθαίνουμε
μέσα στὴν πέτρα ἀδερφωμένοι
ἑνωμένοι μὲ τὴ σκληρότητα καὶ τὴν ἀδυναμία,
οἱ παλαιοὶ νεκροὶ ξεφύγαν ἀπ' τὸν κύκλο καὶ ἀναστήθηκαν
καὶ χαμογελᾶνε μέσα σὲ μιὰ παράξενη ἡσυχία.

XXI

We who set out upon this pilgrimage
looked at the broken statues
consoled ourselves with thinking that life cannot be lost
   so easily
that death must have roads unexplored
and its own kind of justice;

that when we die, upright on our feet
united in the brotherhood of stone
at one with its hardness and its powerlessness,
the dead of old have fled the circle and been resurrected
and are smiling in a state of extraordinary peace.

ΚΒ´

Γιατὶ περάσαν τόσα καὶ τόσα μπροστὰ στὰ μάτια μας
ποὺ καὶ τὰ μάτια μας δὲν εἶδαν τίποτε, μὰ παραπέρα
καὶ πίσω ἡ μνήμη σὰν τὸ ἄσπρο πανὶ μιὰ νύχτα σὲ μιὰ
    μάντρα
ποὺ εἴδαμε ὁράματα παράξενα, περισσότερο κι ἀπὸ σένα,
νὰ περνοῦν καὶ νὰ χάνουνται μέσα στὸ ἀκίνητο φύλλωμα
    μιᾶς πιπεριᾶς·

γιατὶ γνωρίσαμε τόσο πολὺ τούτη τὴ μοίρα μας
στριφογυρίζοντας μέσα σὲ σπασμένες πέτρες, τρεῖς ἢ ἕξι
    χιλιάδες χρόνια
ψάχνοντας σὲ οἰκοδομὲς γκρεμισμένες ποὺ θὰ ἦταν ἴσως
    τὸ δικό μας σπίτι
προσπαθώντας νὰ θυμηθοῦμε χρονολογίες καὶ ἡρωικὲς
    πράξεις·
θὰ μπορέσουμε;

γιατὶ δεθήκαμε καὶ σκορπιστήκαμε
καὶ παλέψαμε μὲ δυσκολίες ἀνύπαρκτες ὅπως λέγαν,
χαμένοι, ξαναβρίσκοντας ἕνα δρόμο γεμάτο τυφλὰ συν-
    τάγματα,
βουλιάζοντας μέσα σὲ βάλτους καὶ μέσα στὴ λίμνη τοῦ
    Μαραθώνα,
θὰ μπορέσουμε νὰ πεθάνουμε κανονικά;

XXII

Because so very many things have passed before our eyes
that even our eyes saw nothing, but farther on
and farther back memory like the white screen one night
    in an open-air cinema
where we saw extraordinary sights, more even than you
passing and vanishing in the motionless foliage of a
    pepper-tree;

because we were so well acquainted with this fate of ours
roaming among broken stones, for three or six millennia
searching through demolition sites that might have been
    our own homes
struggling to recall dates and heroic deeds;
—will we be able?—

because we have been bound and scattered
and fought against obstacles we were told did not exist
losing ourselves, we found again a road filled with regi-
    ments of the blind
sinking into the marshes and the lake of Marathon,[8]
will we be able to die in the normal way?

---

8. An artificial reservoir that had begun supplying Athens with water in
   1931. This is the only topical allusion in the whole sequence of poems.

ΚΓ΄

Λίγο ἀκόμα
θὰ ἰδοῦμε τὶς ἀμυγδαλιὲς ν’ ἀνθίζουν
τὰ μάρμαρα νὰ λάμπουν στὸν ἥλιο
τὴ θάλασσα νὰ κυματίζει

λίγο ἀκόμα,
νὰ σηκωθοῦμε λίγο ψηλότερα.

XXIII

A little more
and we shall see the almond trees in bloom
the marble statues shining in the sun
the sea rippling

a little more,
could we but raise ourselves a little higher.

ΚΔ΄

Ἐδῶ τελειώνουν τὰ ἔργα τῆς θάλασσας, τὰ ἔργα τῆς ἀγάπης.
Ἐκεῖνοι ποὺ κάποτε θὰ ζήσουν ἐδῶ ποὺ τελειώνουμε
ἂν τύχει καὶ μαυρίσει στὴ μνήμη τους τὸ αἷμα καὶ ξεχειλίσει
ἂς μὴ μᾶς ξεχάσουν, τὶς ἀδύναμες ψυχὲς μέσα στ᾽ ἀσφο-
    δίλια,
ἂς γυρίσουν πρὸς τὸ ἔρεβος τὰ κεφάλια τῶν θυμάτων:

Ἐμεῖς ποὺ τίποτε δὲν εἴχαμε θὰ τοὺς διδάξουμε τὴ γαλήνη.

Δεκέμβρης 1933 – Δεκέμβρης 1934

XXIV

Here end the works of the sea, the works of love.
Those who some day will live here where we end
should the blood darken in their memory and overflow
let them not forget us, the feeble shades among the
    asphodels,
let them turn towards Erebus the heads of the victims:

We who had nothing shall teach them serenity.

December 1933 – December 1934

ΣΤΡΟΦΗ

TURNING POINT

This was Seferis's first published collection. The Greek title (*Strophe*) also has the meaning, as in English, of a metrical stanza. Although his later poems in free verse are better known, in these early poems Seferis showed his mastery of strict form, always using strict rhyme, with a variety of more or less formal rhythmical patterns. The translations which follow attempt, for the first time, to reproduce the formal characteristics of this dense and complex verse.

ΑΥΤΟΚΙΝΗΤΟ

Στὴ δημοσιὰ σὰν ἀγκαλιὰ
δίκλωνη ἑνὸς διαβήτη,
τοῦ ἀγέρα δάχτυλα στὴ χήτη
καὶ μίλια στὴν κοιλιά,

οἱ δυό μας φεύγαμε ἀδειανοὶ
βιτσιὰ γιὰ τὸ ἤπιο βλέμμα·
φτιασίδι ὁ νοῦς, φτιασίδι τὸ αἶμα
γυμνοί! γυμνοί! γυμνοί!

...Σ' ἕνα κρεβάτι μ' ἀψηλὸ
κι ἀλαφρὺ προσκεφάλι
πῶς ξεγλιστροῦσε ἀλάργα ἡ ζάλη
σὰν ψάρι στὸ γιαλό...

Στὴ δίκλωνη τὴ δημοσιὰ
φεύγαμε κορμιὰ μόνο
μὲ τὶς καρδιὲς στὸν κάθε κλῶνο
χώρια, ζερβὰ-δεξιά.

MOTOR-CAR

Upon the highway's wide embrace
like compasses two-pronged
the wind's fingers upon your face
for distances we longed,

while empty we two went away
searing the gentle gaze:
the mind's a fake, the blood—fake it,
naked! naked! naked!

...Upon a bed with pillows
piled up high and light
how gently slipped away delight,
a fish back to the billows...

Upon the two-pronged highway only
our bodies went away
leaving behind a heart each way
one left, one right, both lonely.

ΑΡΝΗΣΗ

Στὸ περιγιάλι τὸ κρυφὸ
κι ἄσπρο σὰν περιστέρι
διψάσαμε τὸ μεσημέρι·
μὰ τὸ νερὸ γλυφό.

Πάνω στὴν ἄμμο τὴν ξανθὴ
γράψαμε τ᾽ ὄνομά της·
ὡραῖα ποὺ φύσηξεν ὁ μπάτης
καὶ σβήστηκε ἡ γραφή.

Μὲ τί καρδιά, μὲ τί πνοή,
τί πόθους καὶ τί πάθος
πήραμε τὴ ζωή μας· λάθος!
κι ἀλλάξαμε ζωή.

REFUSAL

Upon the hidden shore so fine
as fair as any dove
we thirsted from the sun above:
the water though was brine.

There on the strand we set about
to write her name in sand:
nicely the sea wind lent a hand
and wiped the writing out.

Such heart and soul we had to give
such sadness and such longing
when we set out on life's path: wrongly,
and changed the way we live.

FOG

Say it with a ukulele

«Πές της το μ' ἕνα γιουκαλίλι...»
γρινιάζει κάποιος φωνογράφος·
πές μου τί νὰ τῆς πῶ, Χριστέ μου,
τώρα συνήθισα μονάχος.

Μὲ φυσαρμόνικες ποὺ σφίγγουν
φτωχοὶ μὴ βρέξει καὶ μὴ στάξει
ὅλο καὶ κράζουν τοὺς ἀγγέλους
κι εἶναι οἱ ἀγγέλοι τους μαράζι.

Κι οἱ ἀγγέλοι ἀνοῖξαν τὰ φτερά τους
μὰ χάμω χνότισαν ὀμίχλες
δόξα σοι ὁ θεός, ἀλλιῶς θὰ πιάναν
τὶς φτωχιές μας ψυχὲς σὰν τσίχλες.

Κι εἶναι ἡ ζωὴ ψυχρὴ ψαρίσια
—Ἔτσι ζεῖς;—Ναί! Τί θὲς νὰ κάνω·
τόσοι καὶ τόσοι εἶναι οἱ πνιμένοι
κάτω στῆς θάλασσας τὸν πάτο.

Τὰ δέντρα μοιάζουν μὲ κοράλλια
ποὺ κάπου ξέχασαν τὸ χρῶμα
τὰ κάρα μοιάζουν μὲ καράβια
ποὺ βούλιαξαν καὶ μεῖναν μόνα...

FOG

Say it with a ukulele

"Say it with a ukalele",
grinds out some phonograph;
what can I say to her?—tell me,
Christ, on my lonely path.

Poor but proud they make those sounds
upon a wheezing squeeze-box;
it's all to call the angels down—
their angels are the pox.

Angels spread their wings aloft
their breath spewed fog below
thank God, else like poor thrushes caught
they'd gobble up our souls.

Life is chill and scaly now
—You *live* like this?—Why yes!
So very many are the drowned
down here on the seabed.

Trees appear like coral reefs
as colourless as bone
buses and trams like tramp steamers
abandoned, sunk, alone…

«Πές της το μ' ἕνα γιουκαλίλι...»
Λόγια γιὰ λόγια, κι ἄλλα λόγια;
Ἀγάπη, ποῦ 'ναι ἡ ἐκκλησιά σου
βαρέθηκα πιὰ στὰ μετόχια.

Ἄ! νά 'ταν ἡ ζωή μας ἴσια
πῶς θὰ τὴν παίρναμε κατόπι
μ' ἀλλιῶς ἡ μοίρα τὸ βουλήθη
πρέπει νὰ στρίψεις σὲ μιὰ κόχη.

Καὶ ποιά εἰν' ἡ κόχη; Ποιὸς τὴν ξέρει;
Τὰ φῶτα φέγγουνε τὰ φῶτα
ἄχνα! δὲ μᾶς μιλοῦν οἱ πάχνες
κι ἔχουμε τὴν ψυχὴ στὰ δόντια.

Τάχα παρηγοριὰ θὰ βροῦμε;
Ἡ μέρα φόρεσε τὴ νύχτα
ὅλα εἶναι νύχτα, ὅλα εἶναι νύχτα
κάτι θὰ βροῦμε ζήτα-ζήτα...

«Πές της το μ' ἕνα γιουκαλίλι...»
Βλέπω τὰ κόκκινά της νύχια
μπρὸς στὴ φωτιὰ πῶς θὰ γυαλίζουν
καὶ τὴ θυμᾶμαι μὲ τὸ βήχα.

Λονδίνο, Χριστούγεννα 1924

"Say it with a ukalele…"
Words on words, more words?
Love, tell me where to find your temple
I'm sick of these outskirts.

Oh that life should run straight forwards
to follow it we'd itch
but fate willed otherwise for us
and bound us in a niche.

What niche? Who knows? Each streetlight
reaches to the next
so faintly! and the frosts are dumb
our souls are numbed with fright.

Comfort will we ever find?
Day has put on night's robes
and all is night, and all is night
find something, searching blind…

"Say it with a ukalele…"
I see her nails are red
their gleam before the fire so telltale
her cough's what I remembered.

London, Christmas 1924

ΔΗΜΟΤΙΚΟ ΤΡΑΓΟΥΔΙ

Τὰ μονοκοτυλήδονα
καὶ τὰ δικοτυλήδονα
ἀνθίζανε στὸν κάμπο

σοῦ τό 'χαν πεῖ στὸν κλήδονα
καὶ σμίξαμε φιλήδονα
τὰ χείλια μας, Μαλάμω!

FOLK SONG

The single-cotyledonous
and double-cotyledonous
flowers were blooming in Spring.

The omens were agreed on us
and we joined lips libidinous-
ly—*bother* the flowers of Spring!

(translation with apologies to W.S. Gilbert)

ΕΡΩΤΙΚΟΣ ΛΟΓΟΣ

Ἔστι δὲ φῦλον ἐν ἀνθρώποισι ματαιότατον,
ὅστις αἰσχύνων ἐπιχώρια παπταίνει τὰ πόρσω,
μεταμώνια θηρεύων ἀκράντοις ἐλπίσιν.

ΠΙΝΔΑΡΟΣ

LOVE'S DISCOURSE

There exists a most foolish race of men
those who despising what is theirs seek things far off,
with vain hopes chasing the wind.

PINDAR

Α΄

Ρόδο τῆς μοίρας, γύρευες νὰ βρεῖς νὰ μᾶς πληγώσεις
μὰ ἔσκυβες σὰν τὸ μυστικὸ ποὺ πάει νὰ λυτρωθεῖ
κι ἦταν ὡραῖο τὸ πρόσταγμα ποὺ δέχτηκες νὰ δώσεις
κι ἦταν τὸ χαμογέλιο σου σὰν ἕτοιμο σπαθί.

Τοῦ κύκλου σου τὸ ἀνέβασμα ζωντάνευε τὴ χτίση
ἀπὸ τ᾽ ἀγκάθι σου ἔφευγε τοῦ δρόμου ὁ στοχασμὸς
ἡ ὁρμή μας γλυκοχάραζε γυμνὴ νὰ σ᾽ ἀποχτήσει
ὁ κόσμος ἦταν εὔκολος· ἕνας ἁπλὸς παλμός.

I

O rose of fate, you sought the way to wound us
but yielded like a saint before the glory
and good was the decree you deigned to grant us
your smile above us like an unsheathed sword.

Your old wheel rising brought the world to life
your thorns blocked thinking of the road ahead
desire dawned sweet and naked to possess you
the world was easy then, a simple heartbeat.

Β΄

Τὰ μυστικὰ τῆς θάλασσας ξεχνιοῦνται στ᾽ ἀκρογιάλια
ἡ σκοτεινάγρα τοῦ βυθοῦ ξεχνιέται στὸν ἀφρό·
λάμπουνε ξάφνου πορφυρὰ τῆς μνήμης τὰ κοράλλια...
Ὢ μὴν ταράξεις... πρόσεξε ν᾽ ἀκούσεις τ᾽ ἀλαφρὸ

ξεκίνημά της... τ᾽ ἄγγιξες τὸ δέντρο μὲ τὰ μῆλα
τὸ χέρι ἁπλώθη κι ἡ κλωστὴ δείχνει καὶ σὲ ὁδηγεῖ...
Ὢ σκοτεινὸ ἀνατρίχιασμα στὴ ρίζα καὶ στὰ φύλλα
νά ᾽σουν ἐσὺ ποὺ θά ᾽φερνες τὴν ξεχασμένη αὐγή!

Στὸν κάμπο τοῦ ἀποχωρισμοῦ νὰ ξανανθίζουν κρίνα
μέρες ν᾽ ἀνοίγουνται ὥριμες, οἱ ἀγκάλες τ᾽ οὐρανοῦ,
νὰ φέγγουν στὸ ἀντηλάρισμα τὰ μάτια μόνο ἐκεῖνα
ἁγνὴ ἡ ψυχὴ νὰ γράφεται σὰν τὸ τραγούδι αὐλοῦ...

Ἡ νύχτα νά ᾽ταν ποὺ ἔκλεισε τὰ μάτια; Μένει ἀθάλη,
σὰν ἀπὸ δοξαριοῦ νευρὰ μένει πνιχτὸ βουητό,
μιὰ στάχτη κι ἕνας ἴλιγγος στὸ μαῦρο γυρογιάλι
κι ἕνα πυκνὸ φτερούγισμα στὴν εἰκασία κλειστό.

Ρόδο τοῦ ἀνέμου, γνώριζες μὰ ἀνέγνωρους μᾶς πῆρες
τὴν ὥρα ποὺ θεμελίωνε γιοφύρια ὁ λογισμὸς
νὰ πλέξουνε τὰ δάχτυλα καὶ νὰ διαβοῦν δυὸ μοῖρες
καὶ νὰ χυθοῦν στὸ χαμηλὸ κι ἀναπαμένο φῶς.

II

Forgotten on the shore the sea's secrets
forgotten in the foam the dark below;
a sudden memory blood-red like coral
gleams... Oh, but peace... take care to hear its soft

stirring... you touched the apples and the tree
the hand outstretched and there the thread to guide you...
Dark shudder to the root and trembling leaves
could you but bring the long-forgotten dawn!

Could lilies bloom once more upon the place
of parting, days be ripe in heaven's embrace,
could but those eyes alone reflect the gleam
the soul be pure inscribed by the flute's song.

Could it have been the night that closed her eyes?
Embers remain, the buzzing of the bowstring,
ashes and dizziness on this dark shore
dense fluttering of wings closed to surmise.

Rose of the wind, you knew but we knew not,
you took us just when thought was reaching out
to interlace our fingers, join two fates
and plunge as one into the placid light.

Γ΄

Ὦ σκοτεινὸ ἀνατρίχιασμα στὴ ρίζα καὶ στὰ φύλλα!
Πρόβαλε ἀνάστημα ἄγρυπνο στὸ πλῆθος τῆς σιωπῆς
σήκωσε τὸ κεφάλι ἀπὸ τὰ χέρια τὰ καμπύλα
τὸ θέλημά σου νὰ γενεῖ καὶ νὰ μοῦ ξαναπεῖς

τὰ λόγια ποὺ ἄγγιζαν καὶ σμίγαν τὸ αἷμα σὰν ἀγκάλη·
κι ἂς γείρει ὁ πόθος σου βαθὺς σὰν ἴσκιος καρυδιᾶς
καὶ νὰ μᾶς πλημμυράει μὲ τῶν μαλλιῶν σου τὴ σπατάλη
ἀπὸ τὸ χνούδι τοῦ φιλιοῦ στὰ φύλλα τῆς καρδιᾶς.

Χαμήλωναν τὰ μάτια σου κι εἶχες τὸ χαμογέλιο
ποὺ ἀνιστοροῦσαν ταπεινὰ ζωγράφοι ἀλλοτινοί.
Λησμονημένο ἀνάγνωσμα σ᾽ ἕνα παλιὸ εὐαγγέλιο
τὸ μίλημά σου ἀνάσαινε κι ἡ ἀνάλαφρη φωνή:

«Εἶναι τὸ πέρασμα τοῦ χρόνου σιγαλὸ κι ἀπόκοσμο
κι ὁ πόνος ἁπαλὰ μὲς στὴν ψυχή μου λάμνει
χαράζει ἡ αὐγὴ τὸν οὐρανό, τ᾽ ὄνειρο μένει ἀπόντιστο
κι εἶναι σὰ νὰ διαβαίνουν μυρωμένοι θάμνοι.

»Μὲ τοῦ ματιοῦ τ᾽ ἀλάφιασμα, μὲ τοῦ κορμιοῦ τὸ ρόδισμα
ξυπνοῦν καὶ κατεβαίνουν σμάρι περιστέρια
μὲ περιπλέκει χαμηλὸ τὸ κυκλωτὸ φτερούγισμα
ἀνθρώπινο ἄγγιγμα στὸν κόρφο μου τ᾽ ἀστέρια.

III

Dark shudder to the root and trembling leaves!
Come forth, o wakeful shape, into the fount
of silence, raise your head from your crouched fingers
thy will be done and say to me again

the words that touched and mingled with my blood;
spread out your longing like a tree's deep shadow
and let the abundance of your hair engulf us
your downy kiss reach into the heart's leaves.

You lowered your eyes with such a smile as once
in times gone by was humbly wrought by painters.
Forgotten lesson from an aged gospel
your speech had breath and this ethereal voice:

"Time's passage is a silent, otherworldly thing
and suffering moves gently in my soul
dawn pales the sky, the dream remains unsinkable
as though sweet-scented shrubs were passing by.

"The sudden movement of the eye, the body's flush
can wake and make descend a flight of doves
that beat their wings in circles round me and embrace me
the stars with human touch caress my breast.

»Τὴν ἀκοή μου ὡς νά 'σμιξε κοχύλι βουίζει ὁ ἀντίδικος
μακρινὸς κι ἀξεδιάλυτος τοῦ κόσμου ὁ θρῆνος
μά εἶναι στιγμὲς καὶ σβήνουνται καὶ βασιλεύει δίκλωνος
ὁ λογισμὸς τοῦ πόθου μου, μόνος ἐκεῖνος.

»Λὲς κι εἶχα ἀναστηθεῖ γυμνὴ σὲ μιὰ παρμένη θύμηση
σὰν ἦρθες γνώριμος καὶ ξένος, ἀκριβέ μου
νὰ μοῦ χαρίσεις γέρνοντας τὴν ἀπέραντη λύτρωση
ποὺ γύρευα ἀπὸ τὰ γοργὰ σεῖστρα τοῦ ἀνέμου...»

Τὸ ραγισμένο ἡλιόγερμα λιγόστεψε κι ἐχάθη
κι ἔμοιαζε πλάνη νὰ ζητᾶς τὰ δῶρα τ' οὐρανοῦ.
Χαμήλωναν τὰ μάτια σου. Τοῦ φεγγαριοῦ τ' ἀγκάθι
βλάστησε καὶ φοβήθηκες τοὺς ἴσκιους τοῦ βουνοῦ.

...Μὲς στὸν καθρέφτη ἡ ἀγάπη μας, πῶς πάει καὶ λιγοστεύει
μέσα στὸν ὕπνο τὰ ὄνειρα, σκολειὸ τῆς λησμονιᾶς
μέσα στὰ βάθη τοῦ καιροῦ, πῶς ἡ καρδιὰ στενεύει
καὶ χάνεται στὸ λίκνισμα μιᾶς ξένης ἀγκαλιᾶς...

"Like waves inside a seashell comes to me the adverse
far off, impenetrable world's lament
but moments too of stillness when bright-forked desire
is all my thought, desire and none but that.

"Perhaps in memory you see me risen, naked
as when you came, my dear, familiar stranger
to lie down by me and deliver me for ever,
as was my wish, from the swift rattling wind."

The shattered sunset faded and was gone,
it seemed a cheat to seek the gifts of heaven.
You lowered your eyes. The moonlight cast a thorn
that bloomed, you shrank back from the mountain's shadows.

... How love's reflection in the mirror fades
in sleep and dreams, school of oblivion
and how time's emptinesses shrink the heart
and love is lost, lulled in another's arms...

Δ΄

Δυὸ φίδια ὡραῖα κι ἀλαργινά, τοῦ χωρισμοῦ πλοκάμια
σέρνουνται καὶ γυρεύουνται στὴ νύχτα τῶν δεντρῶν,
γιὰ μιὰν ἀγάπη μυστικὴ σ᾽ ἀνεύρετα θολάμια
ἀκοίμητα γυρεύουνται δὲν πίνουν καὶ δὲν τρῶν.

Μὲ γύρους μὲ λυγίσματα κι ἡ ἀχόρταγή τους γνώμη
κλώθει, πληθαίνει, στρίβει, ἀπλώνει κρίκους στὸ κορμὶ
ποὺ κυβερνοῦν ἀμίλητοι τοῦ ἔναστρου θόλου οἱ νόμοι
καὶ τοῦ ἀναδεύουν τὴν πυρὴ κι ἀσίγαστη ἀφορμή.

Τὸ δάσος στέκει ριγηλὸ τῆς νύχτας ἀντιστύλι
κι εἶναι ἡ σιγὴ τάσι ἀργυρὸ ὅπου πέφτουν οἱ στιγμὲς
ἀντίχτυποι ξεχωρισμένοι, ὁλόκληροι, μιὰ σμίλη
προσεχτικὴ ποὺ δέχουνται πελεκητὲς γραμμές...

Αὐγάζει ξάφνου τὸ ἄγαλμα. Μὰ τὰ κορμιὰ ἔχουν σβήσει
στὴ θάλασσα στὸν ἄνεμο στὸν ἥλιο στὴ βροχή.
Ἔτσι γεννιοῦνται οἱ ὁμορφιὲς ποὺ μᾶς χαρίζει ἡ φύση
μὰ ποιὸς νὰ ξέρει ἂν πέθανε στὸν κόσμο μιὰ ψυχή.

Στὴ φαντασία θὰ γύριζαν τὰ χωρισμένα φίδια
(Τὸ δάσος λάμπει μὲ πουλιὰ βλαστοὺς καὶ ροδαμοὺς)
μένουν ἀκόμη τὰ σγουρὰ γυρέματά τους, ἴδια
τοῦ κύκλου τὰ γυρίσματα ποὺ φέρνουν τοὺς καημούς.

IV

Two fair and sluggish snakes, the shape of parting
slide seeking one another through the trees' night,
for secret love in undiscovered dells
they seek unsleeping without drink or food.

Coyly they coil: insatiably their will
weaves, multiplies, turns, binds in chains the body
that governed by the stars' unspoken laws
is raised to whitehot pitch of quenchless passion.

The trees, night's tentpoles, stand erect and trembling
the silence is a silver bowl wherein
the minutes fall like echoes whole, distinct,
a careful chisel chipping sculptured lines.

A sudden dawn: the statue. But the bodies
are lost to sea to wind to sun to rain.
Just so are born those beauties nature gives us
but who can say if any soul has died.

The parted snakes are but imagined now
(The trees aglow with birds and budding shoots)
the traces of their coils remain, the same
as fortune's turning wheel that brings us grief.

Ε΄

Ποῦ πῆγε ἡ μέρα ἡ δίκοπη ποὺ εἶχε τὰ πάντα ἀλλάξει;
Δὲ θὰ βρεθεῖ ἕνας ποταμὸς νά 'ναι γιὰ μᾶς πλωτός;
Δὲ θὰ βρεθεῖ ἕνας οὐρανὸς τὴ δρόσο νὰ σταλάξει
γιὰ τὴν ψυχὴ ποὺ νάρκωσε κι ἀνάθρεψε ὁ λωτός;

Στὴν πέτρα τῆς ὑπομονῆς προσμένουμε τὸ θάμα
ποὺ ἀνοίγει τὰ ἐπουράνϊα κι εἶν' ὅλα βολετὰ
προσμένουμε τὸν ἄγγελο σὰν τὸ πανάρχαιο δράμα
τὴν ὥρα ποὺ τοῦ δειλινοῦ χάνουνται τ' ἀνοιχτὰ

τριαντάφυλλα… Ρόδο ἄλικο τοῦ ἀνέμου καὶ τῆς μοίρας,
μόνο στὴ μνήμη ἀπόμεινες, ἕνας βαρὺς ῥυθμὸς
ρόδο τῆς νύχτας πέρασες, τρικύμισμα πορφύρας
τρικύμισμα τῆς θάλασσας… Ὁ κόσμος εἶναι ἁπλός.

Ἀθήνα, Ὀχτώβρης '29 – Δεκέμβρης '30

V

Where now the two-edged day that changed our lives?
Will ever river be for us to sail?
Will ever sky let fall its cooling comfort
on souls so numbed from nurture on the lotus?

Upon the stone of patience we still wait
for heaven's miracle to make all well
still waiting for the angel like the age-old
drama, the hour of evening when the open

roses fade… Scarlet rose of wind and fate,
you are but memory, a heavy rhythm
o rose of night you passed me by, a storm
of purple, storm at sea… The world is simple.

Athens, October '29 – December '30

ΑΠΟ ΤΗ ΣΥΛΛΟΓΗ

ΗΜΕΡΟΛΟΓΙΟ
ΚΑΤΑΣΤΡΩΜΑΤΟΣ, Β΄

FROM

LOGBOOK II

ΜΕΡΕΣ ΤΟΥ ΙΟΥΝΙΟΥ '41

Βγῆκε τὸ νέο φεγγάρι στὴν Ἀλεξάνδρεια
κρατώντας τὸ παλιὸ στὴν ἀγκαλιά του
κι ἐμεῖς πηγαίνοντας κατὰ τὴν Πόρτα τοῦ Ἥλιου
μὲς στὸ σκοτάδι τῆς καρδιᾶς—τρεῖς φίλοι.

Ποιὸς θέλει τώρα νὰ λουστεῖ στὰ νερὰ τοῦ
   Πρωτέα;
Τὴ μεταμόρφωση τὴ γυρέψαμε στὰ νιάτα μας
μὲ πόθους ποὺ ἔπαιζαν σὰν τὰ μεγάλα ψάρια
σὲ πέλαγα ποὺ φύραναν ξαφνικά·
πιστεύαμε στὴν παντοδυναμία τοῦ κορμιοῦ.
Καὶ τώρα βγῆκε τὸ νέο φεγγάρι ἀγκαλιασμένο
μὲ τὸ παλιὸ· μὲ τ' ὄμορφο νησί ματώνοντας
λαβωμένο· τὸ ἥρεμο νησί, τὸ δυνατὸ νησί, τὸ
   ἀθῶο.
Καὶ τὰ κορμιὰ σὰν τσακισμένα κλαδιὰ
καὶ σὰν ξεριζωμένες ρίζες.

               Ἡ δίψα μας
ἔνιππος φύλακας μαρμαρωμένος
στὴ σκοτεινὴ πόρτα τοῦ Ἥλιου
δὲν ξέρει νὰ ζητήσει τίποτε: φυλάγεται

DAYS OF JUNE '41

The new moon came out in Alexandria
with the old moon in her arms
as we were going towards the Gate of the Sun
in the darkness of the heart—three friends.

Who now would bathe in the waters of Proteus?
To change shape was something we wished for in
    youth
with longings that darted like great fish
in seas that turned foul suddenly;
we believed then in the body's omnipotence.
And now the new moon has come out holding
the old one in her arms; with the beautiful island
    bloodied
wounded; the peaceful island, the powerful island,
    the innocent.
And the bodies like broken branches
and like roots torn up.

                    Our thirst
a mounted sentry turned to marble
by the dark Gate of the Sun
does not know how to ask for anything: it keeps
    watch

ξενιτεμένη ἐδῶ τριγύρω
κοντὰ στὸν τάφο τοῦ Μεγάλου Ἀλεξάντρου.

Κρήτη – Ἀλεξάνδρεια – Νότιος Ἀφρική, Μάης-Σεπτ. ’41

an exile in these parts
close by the tomb of Alexander the Great.

Crete – Alexandria – South Africa, May – Sept. '41[9]

---

9. The dateline is part of the original poem, the opening one in the collection *Logbook II* that was first published in Alexandria in 1944. The references to the new moon 'with the old moon in her arms' allude to the traditional Scottish ballad, 'Sir Patrick Spens,' in which the image is a presage of disaster to come. The 'beautiful island bloodied' is Crete, overrun by German paratroopers between 20 and 30 May 1941.

ΕΝΑΣ ΓΕΡΟΝΤΑΣ ΣΤΗΝ ΑΚΡΟΠΟΤΑΜΙΑ

Στὸν Νάνη Παναγιωτόπουλο

Κι ὅμως πρέπει νὰ λογαριάσουμε πῶς προχωροῦμε.
Νὰ αἰσθάνεσαι δὲ φτάνει μήτε νὰ σκέπτεσαι μήτε νὰ
    κινεῖσαι
μήτε νὰ κινδυνεύει τὸ σῶμα σου στὴν παλιὰ πολεμίστρα,
ὅταν τὸ λάδι ζεματιστὸ καὶ τὸ λιωμένο μολύβι αὐλακώ-
    νουνε τὰ τειχιά.

Κι ὅμως πρέπει νὰ λογαριάσουμε κατὰ ποῦ προχωροῦμε,
ὄχι καθὼς ὁ πόνος μας τὸ θέλει καὶ τὰ πεινασμένα παι-
    διά μας
καὶ τὸ χάσμα τῆς πρόσκλησης τῶν συντρόφων ἀπὸ τὸν
    ἀντίπερα γιαλό·
μήτε καθὼς τὸ ψιθυρίζει τὸ μελανιασμένο φῶς στὸ πρό-
    χειρο νοσοκομεῖο,
τὸ φαρμακευτικὸ λαμπύρισμα στὸ προσκέφαλο τοῦ παλι-
    καριοῦ ποὺ χειρουργήθηκε τὸ μεσημέρι·
ἀλλὰ μὲ κάποιον ἄλλο τρόπο, μπορεῖ νὰ θέλω νὰ πῶ
    καθὼς
τὸ μακρὺ ποτάμι ποὺ βγαίνει ἀπὸ τὶς μεγάλες λίμνες τὶς
    κλειστὲς βαθιὰ στὴν Ἀφρικὴ
καὶ ἤτανε κάποτε θεὸς κι ἔπειτα γένηκε δρόμος καὶ δω-
    ρητὴς καὶ δικαστὴς καὶ δέλτα·
ποὺ δὲν εἶναι ποτές του τὸ ἴδιο, κατὰ ποὺ δίδασκαν οἱ πα-
    λαιοὶ γραμματισμένοι,

AN OLD MAN ON THE RIVER BANK

For Nanis Panagiotopoulos

And yet we must consider how we go forward.
That you feel is not enough, neither that you think nor
    move
nor that your body is in danger upon the ancient
    battlement,
while boiling oil and melted lead carve runnels in the
    stonework.

And yet we must consider in what direction we go
    forward,
not as our pain would have it and our starving children
and the void of our comrades' appeal from the farther
    shore;
and not the way it might be whispered by the blacked-out
    light in the makeshift hospital,
with the gleam of disinfectant on the pillow of the lad
    who was operated on at noon;
but in some other way, perhaps I mean just like
the long river that comes out of the great lakes enclosed
    in the depths of Africa
and was once a god and then became highway and bene-
    factor and arbitrator and delta;
that is never again the same, as ancient wise men used to
    teach,

κι ὡστόσο μένει πάντα τὸ ἴδιο σῶμα, τὸ ἴδιο στρῶμα, καὶ
    τὸ ἴδιο Σημεῖο,
ὁ ἴδιος προσανατολισμός.

Δὲ θέλω τίποτε ἄλλο παρὰ νὰ μιλήσω ἁπλά, νὰ μοῦ δοθεῖ
    ἐτούτη ἡ χάρη.
Γιατὶ καὶ τὸ τραγούδι τὸ φορτώσαμε μὲ τόσες μουσικὲς
    ποὺ σιγὰ-σιγὰ βουλιάζει
καὶ τὴν τέχνη μας τὴ στολίσαμε τόσο πολὺ ποὺ φαγώθηκε
    ἀπὸ τὰ μαλάματα τὸ πρόσωπό της
κι εἶναι καιρὸς νὰ ποῦμε τὰ λιγοστά μας λόγια γιατὶ ἡ
    ψυχή μας αὔριο κάνει πανιά.

Ἄν εἶναι ἀνθρώπινος ὁ πόνος δὲν εἴμαστε ἄνθρωποι μόνο
    γιὰ νὰ πονοῦμε
γι' αὐτὸ συλλογίζομαι τόσο πολύ, τοῦτες τὶς μέρες, τὸ με-
    γάλο ποτάμι
αὐτὸ τὸ νόημα ποὺ προχωρεῖ ἀνάμεσα σὲ βότανα καὶ σὲ
    χόρτα
καὶ ζωντανὰ ποὺ βόσκουν καὶ ξεδιψοῦν κι ἀνθρώπους ποὺ
    σπέρνουν καὶ ποὺ θερίζουν
καὶ σὲ μεγάλους τάφους ἀκόμη καὶ μικρὲς κατοικίες τῶν
    νεκρῶν.
Αὐτὸ τὸ ρέμα ποὺ τραβάει τὸ δρόμο του καὶ ποὺ δὲν εἶναι
    τόσο διαφορετικὸ ἀπὸ τὸ αἷμα τῶν ἀνθρώπων
κι ἀπὸ τὰ μάτια τῶν ἀνθρώπων ὅταν κοιτάζουν ἴσια-πέρα
    χωρὶς τὸ φόβο μὲς στὴν καρδιά τους,

but maintains the same body always, the same course, the
    same compass-point,
its orientation the same.

I ask nothing else but to speak simply, to be granted this
    grace.
Because our song has become overloaded with so many
    kinds of music that slowly it is sinking
and our art has been overlaid so heavily that the gold has
    eaten away its face
and it is time we spoke the few words we have because
    tomorrow our souls set sail.

If to be human is to suffer we are not human to suffer
    only
this is why I think so often, these days, of the great
    river
of this meaning that goes forward between banks of
    herbs and weeds
and animals that graze and slake their thirst and people
    that sow and reap
and even of great tombs and small dwellings of the
    dead.
This flowing that follows its course and is not so different
    from human blood
or from human eyes when they gaze fixedly and without
    fear into their own hearts,

χωρὶς τὴν καθημερινὴ τρεμούλα γιὰ τὰ μικροπράματα ἢ
   ἔστω καὶ γιὰ τὰ μεγάλα·
ὅταν κοιτάζουν ἴσια-πέρα καθὼς ὁ στρατοκόπος ποὺ
   συνήθισε ν' ἀναμετρᾶ τὸ δρόμο του μὲ τ' ἄστρα,
ὄχι ὅπως ἐμεῖς, τὴν ἄλλη μέρα, κοιτάζοντας τὸ κλειστὸ
   περιβόλι στὸ κοιμισμένο ἀράπικο σπίτι,
πίσω ἀπὸ τὰ καφασωτά, τὸ δροσερὸ περιβολάκι ν' ἀλλά-
   ζει σχῆμα, νὰ μεγαλώνει καὶ νὰ μικραίνει·
ἀλλάζοντας καθὼς κοιτάζαμε, κι ἐμεῖς, τὸ σχῆμα τοῦ πό-
   θου μας καὶ τῆς καρδιᾶς μας,
στὴ στάλα τοῦ μεσημεριοῦ, ἐμεῖς τὸ ὑπομονετικὸ ζυμάρι
   ἑνὸς κόσμου ποὺ μᾶς διώχνει καὶ ποὺ μᾶς πλάθει,
πιασμένοι στὰ πλουμισμένα δίχτυα μιᾶς ζωῆς ποὺ ἤτανε
   σωστὴ κι ἔγινε σκόνη καὶ βούλιαξε μέσα στὴν ἄμμο
ἀφήνοντας πίσω της μονάχα ἐκεῖνο τὸ ἀπροσδιόριστο
   λίκνισμα ποὺ μᾶς ζάλισε μιᾶς ἀψηλῆς φοινικιᾶς.

Κάιρο, 20 Ἰουνίου '42

without daily jitters about trivial things or even about
    great ones;
when they gaze fixedly like the wanderer who has become
    used to measuring his progress by the stars,
not the way that we, looking into the closed garden of the
    drowsy Arab house the other day,
behind the lattice-screens, saw the cool courtyard change
    shape, grow larger and smaller;
changing as we watched, so did we change, the shape of
    our desires and of our hearts,
in the dewdrop of noon, ourselves the patient dough of a
    world that pursues us and moulds us,
caught in the gilded nets of a life that was right and good
    but turned to ashes and sank into the sand
leaving behind it only that vague swaying, that made us
    queasy, of a lofty palm-tree.

Cairo, 20 June '42

Ο ΣΤΡΑΤΗΣ ΘΑΛΑΣΣΙΝΟΣ ΣΤΗ ΝΕΚΡΗ ΘΑΛΑΣΣΑ

Κάποτε βλέπεις σὲ παρεκκλήσια, χτισμένα πάνω
στὶς θρυλικὲς τοποθεσίες, τὴ σχετικὴ περιγραφὴ τοῦ
Εὐαγγελίου γραμμένη ἀγγλικὰ καὶ ἀποκάτω:
«THIS IS THE PLACE GENTLEMEN!»
ΓΡΑΜΜΑ ΤΟΥ Σ.Θ. ΑΠΟ ΤΗΝ ΙΕΡΟΥΣΑΛΗΜ

Ἱερουσαλήμ, ἀκυβέρνητη πολιτεία,
Ἱερουσαλήμ, πολιτεία τῆς προσφυγιᾶς.

Κάποτε βλέπεις τὸ μεσημέρι
στὴν ἄσφαλτο τοῦ δρόμου νὰ γλιστρᾶ
ἕνα κοπάδι μαῦρα φύλλα σκορπισμένα—
Περνοῦνε διαβατάρικα πουλιὰ κάτω ἀπ' τὸν ἥλιο
μὰ δὲ σηκώνεις τὸ κεφάλι.

Ἱερουσαλήμ, ἀκυβέρνητη πολιτεία!

Ἄγνωστες γλῶσσες τῆς Βαβέλ,
χωρὶς συγγένεια μὲ τὴ γραμματικὴ
τὸ συναξάρι μήτε τὸ ψαλτήρι
ποὺ σ' ἔμαθαν νὰ συλλαβίζεις τὸ φθινόπωρο
σὰν ἔδεναν τὶς ψαροποῦλες στὰ μουράγια·
ἄγνωστες γλῶσσες κολλημένες
σὰν ἀποτσίγαρα σβηστὰ σὲ χαλασμένα χείλια.

Ἱερουσαλήμ, πολιτεία τῆς προσφυγιᾶς!

STRATIS THALASSINOS AT THE DEAD SEA

Sometimes you see by remote country churches,
built in legendary landscapes, the relevant passage
from the Bible, written in English and beneath it:
"THIS IS THE PLACE GENTLEMEN!"
LETTER OF S[TRATIS] TH[ALASSINOS] FROM JERUSALEM

Jerusalem, unruled city, city adrift,
Jerusalem, city of refugees.

Sometimes at midday
on the asphalt road you see sweep by
a flock of black leaves scattered—
Migrating birds go past beneath the sun
but you do not raise your head.

Jerusalem, unruled city, city adrift!

Babel tongues, unknown,
without affinity to grammar
to gospel or to hymn-book
whose syllables you learned one autumn
while by the mole the fishing boats made fast;
unknown tongues that stuck
like cigarette butts dead on ravaged lips.

Jerusalem, city of refugees!

Ἀλλὰ τὰ μάτια τους μιλοῦν ὅλα τὸν ἴδιο λόγο,
ὄχι τὸ λόγο ποὺ ἔγινε ἄνθρωπος, θεέ μου συμπάθα
    μας,
ὄχι ταξίδια γιὰ νὰ ἰδεῖς καινούργιους τόπους, ἀλλὰ
τὸ σκοτεινὸ τρένο τῆς φυγῆς ὅπου τὰ βρέφη
τρέφουνται μὲ τὴ βρώμα καὶ τὶς ἁμαρτίες τῶν γονιῶν
καὶ νιώθουν οἱ μεσόκοποι τὸ χάσμα
νὰ μεγαλώνει ἀνάμεσα στὸ σῶμα
ποὺ μένει πίσω σὰ γκαμήλα λαβωμένη
καὶ τὴν ψυχὴ μὲ τὸ ἀνεξάντλητο κουράγιο, καθὼς
    λένε.
Εἶναι καὶ τὰ καράβια ποὺ τοὺς ταξιδεύουν
ὁλόρθους σὰ μπαλσαμωμένους δεσποτάδες
μέσα στ' ἀμπάρια, γιὰ ν' ἀράξουν ἕνα βράδυ
στὰ φύκια τοῦ βυθοῦ ἀπαλά.

Ἱερουσαλήμ, ἀκυβέρνητη πολιτεία!

    Στὸν ποταμὸ Γιορδάνη
    τρεῖς καλογέροι φέραν
    καὶ δέσανε στὴν ὄχτη
    κόκκινο τρεχαντήρι.
    Τρεῖς ἀπὸ τ' Ἁγιονόρος
    ἀρμένισαν τρεῖς μῆνες
    καὶ δέσαν σ' ἕνα κλῶνο
    στὴν ὄχτη τοῦ Γιορδάνη
    τοῦ πρόσφυγα τὸ τάμα.
    Πεινάσανε τρεῖς μῆνες

But their eyes speak all the same language,
not the Word that became man, dear God look kindly
    on us,
not journeys to see new places, but
the dark train full of fugitives where infants
are fed on filth and the sins of their parents
and the middle-aged can sense the chasm
opening out between the body
that remains behind like a wounded camel
and the soul whose courage knows no bounds, or so
    they say.
It is also the ships that take them on voyages,
standing-room only like stuffed prelates
packed into the hold, to come to rest one evening
in the seaweed of the deep, so very gently.

Jerusalem, unruled city, city adrift!

> Into the river Jordan
> three monks one day came sailing,
> and on the bank made fast
> a red three-masted sail-boat.
> Three months these three did sail
> from Athos, Holy Mountain,
> and made fast to a branch
> upon the Jordan's bank:
> the penance of the refugee.
> For three months going hungry

διψάσανε τρεῖς μῆνες,
ξαγρύπνησαν τρεῖς μῆνες
κι ἦρθαν ἀπ' τ' Ἁγιονόρος
ἀπ' τὴ Θεσσαλονίκη
οἱ σκλάβοι καλογέροι.

Εἴμαστε ὅλοι καθὼς ἡ Νεκρὴ θάλασσα
πολλὲς ὀργιὲς κάτω ἀπ' τὴν ἐπιφάνεια τοῦ Αἰγαίου.
Ἔλα μαζί μου νὰ σοῦ δείξω τὸ τοπίο:

    Στὴ Νεκρὴ θάλασσα
    δὲν εἶναι ψάρια
    δὲν εἶναι φύκια
    μήτε ἀχινοὶ
    δὲν ἔχει ζωή.

    Δὲν εἶναι ζωντανὰ
    ποὺ ἔχουν στομάχι
    γιὰ νὰ πεινοῦν
    ποὺ θρέφουν νεῦρα
    γιὰ νὰ πονοῦν,

THIS IS THE PLACE, GENTLEMEN!

    Στὴ Νεκρὴ θάλασσα
    ἡ καταφρόνια
    εἶναι ἡ πραμάτεια
    τοῦ κανενοῦ,
    ὄξω ἀπ' τὸ νοῦ.

for three months going thirsty,
for three months keeping vigil
and from the Holy Mountain came,
and from Salonica they came,
from slavery, those monks.

All of us are like the Dead Sea
so many fathoms below the level of the Aegean.
Come with me, and I will show you the place:

In the Dead Sea
there are no fish
there is no seaweed
not even a sea-urchin's spine,
for nothing lives in brine.

These are not living things
that have a stomach
to feel hunger
that grow nerves
to suffer pain or anger,

THIS IS THE PLACE, GENTLEMEN!

In the Dead Sea
contempt
is every man's
commodity,
what an oddity!

Καρδιὰ καὶ στόχαση
πήζουν στ' ἁλάτι
ποὺ εἶναι πικρὸ
σμίγουν τὸν κόσμο
τὸν ὀρυχτό,

THIS IS THE PLACE, GENTLEMEN!

Στὴ Νεκρὴ θάλασσα
ὀχτροὺς καὶ φίλους
παιδιά, γυναίκα
καὶ συγγενεῖς,
ἄει νὰ τοὺς βρεῖς.

Εἶναι στὰ Γόμορρα
κάτω στὸν πάτο
πολὺ εὐτυχεῖς
ποὺ δὲν προσμένουν
καμιὰ γραφή.

GENTLEMEN,
                συνεχίζουμε τὴν περιοδεία μας
πολλὲς ὀργιὲς κάτω ἀπ' τὴν ἐπιφάνεια τοῦ Αἰγαίου.

Ἰούλιος '42

Heart and mind
grow stiff with salt
so bitter,
until like minerals
they glitter,

THIS IS THE PLACE, GENTLEMEN!

In the Dead Sea
your friends and foes
your child, your wife
and all those dearest
you'll find at rest.

Gone to Gomorrah
down on the seabed
and the nearest
thing to happy, not expecting
any letters here.

GENTLEMEN,

　　　let us proceed upon our tour
so many fathoms below the level of the Aegean.

July '42[10]

---

10. The name Stratis Thalassinos (Wayfarer the Seafarer) first appears
as a poetic persona or alter ego in writings of Seferis from his time
in London in the early 1930s.

ΘΕΑΤΡΙΝΟΙ, Μ.Α.

Στήνουμε θέατρα καὶ τὰ χαλνοῦμε
ὅπου σταθοῦμε κι ὅπου βρεθοῦμε
στήνουμε θέατρα καὶ σκηνικά,
ὅμως ἡ μοίρα μας πάντα νικᾶ

καὶ τὰ σαρώνει καὶ μᾶς σαρώνει
καὶ τοὺς θεατρίνους καὶ τὸ θεατρώνη
ὑποβολέα καὶ μουσικοὺς
στοὺς πέντε ἀνέμους τοὺς βιαστικούς.

Σάρκες, λινάτσες, ξύλα, φτιασίδια
ρίμες, αἰσθήματα, πέπλα, στολίδια,
μάσκες, λιογέρματα, γόοι καὶ κραυγὲς
κι ἐπιφωνήματα καὶ χαραυγὲς

ριγμένα ἀνάκατα μαζὶ μ' ἐμᾶς
(πές μου ποῦ πᾶμε; πές μου ποῦ πᾶς;)
πάνω ἀπ' τὸ δέρμα μας γυμνὰ τὰ νεῦρα
σὰν τὶς λουρίδες ὀνάγρου ἢ ζέβρα

γυμνὰ κι ἀνάερα, στεγνὰ στὴν κάψα
(πότε μᾶς γέννησαν; πότε μᾶς θάψαν;)
καὶ τεντωμένα σὰν τὶς χορδὲς
μιᾶς λύρας ποὺ ὁλοένα βουΐζει. Δὲς

MOUNTEBANKS, MIDDLE EAST

We set up theatres and knock them down
every time we come to town
we set up theatres and stage-sets,
but ever stronger are our fates

that sweep away both them and us
mountebanks and impresarios
the prompter and the band
to every corner of the busy land.

Bare flesh and make-up, props and gunny
rhymes, emotions, costumes, funny
faces, sunsets, wailing and sad cries
and loud ejaculations to the skies

all thrown along with us into the air
(do *you* know where we're going?—tell me where)
upon our skins stretched tightly one observes
like zebra-stripes the naked nerves

naked and light, dry as an oven
(when did they give us birth? buried us when?)
and stretched as tightly as the viol
string that still vibrates. Meanwhile

καὶ τὴν καρδιά μας· ἕνα σφουγγάρι,
στὸ δρόμο σέρνεται καὶ στὸ παζάρι
πίνοντας τὸ αἷμα καὶ τὴ χολὴ
καὶ τοῦ τετράρχη καὶ τοῦ ληστῆ.

Μέση Ἀνατολή, Αὔγουστος '43

do look into our hearts: a sponge
to hang about bazaars and streets and plunge
deep down into the blood and grief
alike of tetrarch and of common thief.

Middle East, August '43

ΤΕΛΕΥΤΑΙΟΣ ΣΤΑΘΜΟΣ

Λίγες οἱ νύχτες μὲ φεγγάρι ποὺ μ᾿ ἀρέσαν.

Τ᾿ ἀλφαβητάρι τῶν ἄστρων ποὺ συλλαβίζεις
ὅπως τὸ φέρει ὁ κόπος τῆς τελειωμένης μέρας
καὶ βγάζεις ἄλλα νοήματα κι ἄλλες ἐλπίδες,
πιὸ καθαρὰ μπορεῖς νὰ τὸ διαβάσεις.

Τώρα ποὺ κάθομαι ἄνεργος καὶ λογαριάζω
λίγα φεγγάρια ἀπόμειναν στὴ μνήμη·
νησιά, χρῶμα θλιμμένης Παναγίας, ἀργὰ στὴ χάση
ἢ φεγγαρόφωτα σὲ πολιτεῖες τοῦ βοριᾶ ρίχνοντας κάποτε
σὲ ταραγμένους δρόμους ποταμοὺς καὶ μέλη ἀνθρώπων
βαριὰ μιὰ νάρκη.

Κι ὅμως χτὲς βράδυ ἐδῶ, σὲ τούτη τὴ στερνή μας σκάλα
ὅπου προσμένουμε τὴν ὥρα τῆς ἐπιστροφῆς μας νὰ χα-
    ράξει
σὰν ἕνα χρέος παλιό, μονέδα ποὺ ἔμεινε γιὰ χρόνια
στὴν κάσα ἑνὸς φιλάργυρου, καὶ τέλος
ἦρθε ἡ στιγμὴ τῆς πλερωμῆς κι ἀκούγονται
νομίσματα νὰ πέφτουν πάνω στὸ τραπέζι·
σὲ τοῦτο τὸ τυρρηνικὸ χωριό, πίσω ἀπὸ τὴ θάλασσα τοῦ
    Σαλέρνο
πίσω ἀπὸ τὰ λιμάνια τοῦ γυρισμοῦ, στὴν ἄκρη
μιᾶς φθινοπωρινῆς μπόρας, τὸ φεγγάρι
ξεπέρασε τὰ σύννεφα, καὶ γίναν
τὰ σπίτια στὴν ἀντίπερα πλαγιὰ ἀπὸ σμάλτο.

LAST STOP

Few are the moonlit nights that have pleased me.
The ABC of stars that you spell out
aided by fatigue at day's end
and where you can read other meanings, other hopes,
is clearer, far, to read.
Now that I sit idle, recollecting
not many moons remain in memory;
islands the colour of a weeping Virgin Mary, late in the
    waning
or moonlight over northern cities, casting sometimes
on troubled streets and rivers, limbs of people
a heavy lethargy.
And yet last evening here, in this our last landfall
where we long for the day of our return to dawn
like an old debt, currency that has remained for years
in a miser's chest until at last
the time of reckoning has come and coins
chink tumbling on the table;
in this Tyrrhenian village, tucked above Salerno and
    the sea
above the harbours of return, the cusp
of an autumn downpour brought the moon
out from behind the clouds, and then
the houses on the farther slope were all enamel.

Σιωπὲς ἀγαπημένες τῆς σελήνης.

Εἶναι κι αὐτὸς ἕνας εἱρμὸς τῆς σκέψης, ἕνας τρόπος
ν' ἀρχίσεις νὰ μιλᾶς γιὰ πράγματα ποὺ ὁμολογεῖς
δύσκολα, σὲ ὧρες ὅπου δὲ βαστᾶς, σὲ φίλο
ποὺ ξέφυγε κρυφὰ καὶ φέρνει
μαντάτα ἀπὸ τὸ σπίτι κι ἀπὸ τοὺς συντρόφους,
καὶ βιάζεσαι ν' ἀνοίξεις τὴ καρδιά σου
μὴ σὲ προλάβει ἡ ξενιτιὰ καὶ τὸν ἀλλάξει.
Ἐρχόμαστε ἀπ' τὴν Ἀραπιά, τὴν Αἴγυπτο τὴν Παλαιστίνη
    τὴ Συρία·
τὸ κρατίδιο
τῆς Κομμαγηνῆς ποὺ 'σβησε σὰν τὸ μικρὸ λυχνάρι
πολλὲς φορὲς γυρίζει στὸ μυαλό μας,
καὶ πολιτεῖες μεγάλες ποὺ ἔζησαν χιλιάδες χρόνια
κι ἔπειτα ἀπόμειναν τόπος βοσκῆς γιὰ τὶς γκαμοῦζες
χωράφια γιὰ ζαχαροκάλαμα καὶ καλαμπόκια.
Ἐρχόμαστε ἀπ' τὴν ἄμμο τῆς ἔρημος ἀπ' τὶς θάλασσες τοῦ
    Πρωτέα,
ψυχὲς μαραγκιασμένες ἀπὸ δημόσιες ἁμαρτίες,
καθένας κι ἕνα ἀξίωμα σὰν τὸ πουλὶ μὲς στὸ κλουβί του.
Τὸ βροχερὸ φθινόπωρο σ' αὐτὴ τὴ γούβα
κακοφορμίζει τὴν πληγὴ τοῦ καθενός μας
ἢ αὐτὸ ποὺ θά 'λεγες ἀλλιῶς, νέμεση μοίρα
ἢ μοναχὰ κακὲς συνήθειες, δόλο καὶ ἀπάτη,
ἢ ἀκόμη ἰδιοτέλεια νὰ καρπωθεῖς τὸ αἷμα τῶν ἄλλων.
Εὔκολα τρίβεται ὁ ἄνθρωπος μὲς στοὺς πολέμους·
ὁ ἄνθρωπος εἶναι μαλακός, ἕνα δεμάτι χόρτο·

Beloved silences of the moon.

That, too, is a train of thought, a manner
in which you can begin to speak of things that are
    confessed
with difficulty, at moments when endurance fails, to a friend
who has escaped in secret and brings you
news from home and from your comrades,
and you cannot wait to open up your heart
before your exiled state pre-empts you and he too starts to
    change.
We come from Araby, from Egypt, Palestine and Syria;
the little state
of Commagene, snuffed out like a small lantern
is often in our thoughts,
and mighty cities that endured throughout millennia
only to become grazing ground for water-buffaloes
and fields for sugar-cane and maize.
We come from desert sands and from the seas of Proteus
our souls wrung out by public sins,
each one clutching rank or title like a songbird in a cage.
The rainy autumn in this hollow of the hills
makes fester in the wounds of each of us
either what you might otherwise have called nemesis or fate,
or just bad habits, deceit and guile,
or even selfishness, to benefit from others' blood.
Humankind is easily worn down in wars;
humankind is tender, a sheaf of grass;

χείλια καὶ δάχτυλα ποὺ λαχταροῦν ἕνα ἄσπρο στῆθος
μάτια ποὺ μισοκλείνουν στὸ λαμπύρισμα τῆς μέρας
καὶ πόδια ποὺ θὰ τρέχανε, κι ἂς εἶναι τόσο κουρασμένα,
στὸ παραμικρὸ σφύριγμα τοῦ κέρδους.
Ὁ ἄνθρωπος εἶναι μαλακὸς καὶ διψασμένος σὰν τὸ χόρτο,
ἄπληστος σὰν τὸ χόρτο, ρίζες τὰ νεῦρα του κι ἁπλώνουν·
σὰν ἔρθει ὁ θέρος
προτιμᾶ νὰ σφυρίξουν τὰ δρεπάνια στ᾽ ἄλλο χωράφι·
σὰν ἔρθει ὁ θέρος
ἄλλοι φωνάζουνε γιὰ νὰ ξορκίσουν τὸ δαιμονικὸ
ἄλλοι μπερδεύονται μὲς στ᾽ ἀγαθά τους, ἄλλοι ρητο-
    ρεύουν.
Ἀλλὰ τὰ ξόρκια τ᾽ ἀγαθὰ τὶς ρητορεῖες,
σὰν εἶναι οἱ ζωντανοὶ μακριά, τί θὰ τὰ κάνεις;
Μήπως ὁ ἄνθρωπος εἶναι ἄλλο πράγμα;
Μὴν εἶναι αὐτὸ ποὺ μεταδίνει τὴ ζωή;
Καιρὸς τοῦ σπείρειν, καιρὸς τοῦ θερίζειν.

Πάλι τὰ ἴδια καὶ τὰ ἴδια, θὰ μοῦ πεῖς, φίλε.
Ὅμως τὴ σκέψη τοῦ πρόσφυγα τὴ σκέψη τοῦ αἰχμάλωτου
    τὴ σκέψη
τοῦ ἀνθρώπου σὰν κατάντησε κι αὐτὸς πραμάτεια
δοκίμασε νὰ τὴν ἀλλάξεις, δὲν μπορεῖς.
Ἴσως καὶ νά ᾽θελε νὰ μείνει βασιλιὰς ἀνθρωποφάγων
ξοδεύοντας δυνάμεις ποὺ κανεὶς δὲν ἀγοράζει,
νὰ σεργιανᾶ μέσα σὲ κάμπους ἀγαπάνθων
ν᾽ ἀκούει τὰ τουμπελέκια κάτω ἀπ᾽ τὸ δέντρο τοῦ μπαμποῦ,
καθὼς χορεύουν οἱ αὐλικοὶ μὲ τερατώδεις προσωπίδες.

lips and fingers yearning for a white breast
eyes half-closed against the glare of day
and legs that would run, be they never so exhausted,
at the slightest whiff of gain.
Humankind is tender and thirsty as the grass,
insatiable like the grass, its nerves are roots that spread;
come harvest-time
let sickles be whetted in the neighbouring field;
come harvest-time
some shout to exorcise the evil demon,
some lose themselves among their goods, and some
    orate.
But exorcisms, goods, orations,
when the living are not there, what good are they?
Can humankind be something different?
Is it not that which transmits life?
A time to sow, a time to reap.

The same things and the same again, you'll tell me, friend.
And yet: the way an exile thinks, the way a captive thinks
    the way
a man thinks when he has become a piece of merchandise
try as you might to change it, you cannot.
Perhaps he rather would have stayed a king of cannibals
expending forces that no one can buy,
to stroll among the agapanthus fields
and hear the tom-toms under the bamboo trees,
his courtiers capering with gigantic masks.

Ὅμως ὁ τόπος ποὺ τὸν πελεκοῦν καὶ ποὺ τὸν καῖνε σὰν
   τὸ πεῦκο, καὶ τὸν βλέπεις
εἴτε στὸ σκοτεινὸ βαγόνι, χωρὶς νερό, σπασμένα τζάμια,
   νύχτες καὶ νύχτες
εἴτε στὸ πυρωμένο πλοῖο ποὺ θὰ βουλιάξει καθὼς τὸ δεί-
   χνουν οἱ στατιστικές,
ἐτοῦτα ρίζωσαν μὲς στὸ μυαλὸ καὶ δὲν ἀλλάζουν
ἐτοῦτα φύτεψαν εἰκόνες ἴδιες μὲ τὰ δέντρα ἐκεῖνα
ποὺ ρίχνουν τὰ κλωνάρια τους μὲς στὰ παρθένα δάση
κι αὐτὰ καρφώνουνται στὸ χῶμα καὶ ξαναφυτρώνουν·
ρίχνουν κλωνάρια καὶ ξαναφυτρώνουν δρασκελώντας
λεῦγες καὶ λεῦγες·
ἕνα παρθένο δάσος σκοτωμένων φίλων τὸ μυαλό μας.
Κι ἂ σοῦ μιλῶ μὲ παραμύθια καὶ παραβολὲς
εἶναι γιατὶ τ' ἀκοῦς γλυκότερα, κι ἡ φρίκη
δὲν κουβεντιάζεται γιατὶ εἶναι ζωντανὴ
γιατὶ εἶναι ἀμίλητη καὶ προχωράει·
στάζει τὴ μέρα, στάζει στὸν ὕπνο
μνησιπήμων πόνος.

Νὰ μιλήσω γιὰ ἥρωες νὰ μιλήσω γιὰ ἥρωες: ὁ Μιχάλης
ποὺ ἔφυγε μ' ἀνοιχτὲς πληγὲς ἀπ' τὸ νοσοκομεῖο
ἴσως μιλοῦσε γιὰ ἥρωες ὅταν, τὴ νύχτα ἐκείνη
ποὺ ἔσερνε τὸ ποδάρι του μὲς στὴ συσκοτισμένη πο-
   λιτεία,
οὔρλιαζε ψηλαφώντας τὸν πόνο μας· «Στὰ σκοτεινὰ
πηγαίνουμε, στὰ σκοτεινὰ προχωροῦμε...»

And yet the country that they hack and set alight like
    pine, and you see it
whether in the darkened railway carriage, without water,
    windows broken, night after night
or whether in the blazing ship that soon will sink,
    according to statistics,
these things are rooted in the brain and do not change
these things have nurtured images the way that certain
    trees
thrust out their shoots in virgin forests
and spear the ground and so begin to grow again;
they thrust out shoots and grow again traversing
leagues and leagues;
a virgin forest of friends killed is each man's mind.
And if I speak to you in fairytales and riddles
it is because they're sweeter in the hearing, and the horror
cannot be spoken of because it is alive
because it is unspeakable and goes forward;
dripping by day, dripping into sleep
the pain-perpetuating memory of pain.

Let me speak of heroes, let me speak of heroes: of Michael
who fled the hospital with open wounds
perhaps he spoke of heroes when, that night
dragging his leg across the blacked-out city,
he touched the pain of all of us and howled: 'In darkness
we go forward, in darkness we go forward...'

Οἱ ἥρωες προχωροῦν στὰ σκοτεινά.

Λίγες οἱ νύχτες μὲ φεγγάρι ποὺ μ' ἀρέσουν.

Cava dei Tirreni, 5 Ὀκτωβρίου '44

Heroes go forward in the dark.

Few are the moonlit nights that have pleased me.

Cava dei Tirreni, 5 October '44[11]

---

11. This poem was written too late to be included in the first edition of
Logbook II that came out at about the same time in Alexandria. It
was added to the second edition, that appeared in Athens just over
a year later; in that and all subsequent editions it occupies the final
position in the collection. The italicized phrase 'pain-perpetuating
memory of pain' is my rendering of the phrase in ancient Greek,
mnesimemon ponos, which Seferis takes directly from Aeschylus'
Agamemnon.

ΑΠΟ ΤΗ ΣΥΛΛΟΓΗ

ΗΜΕΡΟΛΟΓΙΟ
ΚΑΤΑΣΤΡΩΜΑΤΟΣ, Γ΄

FROM

LOGBOOK III

ΈΓΚΩΜΗ

Ἦταν πλατὺς ὁ κάμπος καὶ στρωτός· ἀπὸ μακριὰ φαι-
  νόνταν
τὸ γύρισμα χεριῶν ποὺ σκάβαν.
Στὸν οὐρανὸ τὰ σύννεφα πολλὲς καμπύλες, κάπου-κάπου
μιὰ σάλπιγγα χρυσὴ καὶ ρόδινη· τὸ δείλι.
Στὸ λιγοστὸ χορτάρι καὶ στ᾽ ἀγκάθια τριγυρίζαν
ψιλὲς ἀποβροχάρισσες ἀνάσες· θά ᾽χε βρέξει
πέρα στὶς ἄκρες τὰ βουνὰ ποὺ ἔπαιρναν χρῶμα.

Κι ἐγὼ προχώρεσα πρὸς τοὺς ἀνθρώπους ποὺ δουλεῦαν,
γυναῖκες κι ἄντρες μὲ τ᾽ ἀξίνια σὲ χαντάκια.
Ἦταν μιὰ πολιτεία παλιά· τειχειὰ δρόμοι καὶ σπίτια
ξεχώριζαν σὰν πετρωμένοι μυῶνες κυκλώπων,
ἡ ἀνατομία μιᾶς ξοδεμένης δύναμης κάτω ἀπ᾽ τὸ μάτι
τοῦ ἀρχαιολόγου τοῦ ναρκοδότη ἢ τοῦ χειρούργου.
Φαντάσματα καὶ ὑφάσματα, χλιδὴ καὶ χείλια, χωνεμένα
καὶ τὰ παραπετάσματα τοῦ πόνου διάπλατα ἀνοιχτὰ
ἀφήνοντας νὰ φαίνεται γυμνὸς κι ἀδιάφορος ὁ τάφος.

Κι ἀνάβλεψα πρὸς τοὺς ἀνθρώπους ποὺ δουλεῦαν
τοὺς τεντωμένους ὤμους καὶ τὰ μπράτσα ποὺ χτυποῦσαν
μ᾽ ἕνα ρυθμὸ βαρὺ καὶ γρήγορο τούτη τὴ νέκρα
σὰ νὰ περνοῦσε στὰ χαλάσματα ὁ τροχὸς τῆς μοίρας.

ENGOMI

The plain was broad and level; from a distance could be seen
the wheeling arms of people digging.
In the sky the clouds with many curlicues, here and there
a trumpet golden and rosy; dusk.
Among the sparse weeds and thorns wandered
light breezes after rain; it must have been raining
over there where the tops of the mountains were taking
    on colour.

And I went forward towards the people who laboured,
women and men with pick-axes in trenches.
It was an old city; fortifications streets and houses
stood out like petrified muscles of giants,
the anatomy of a spent power beneath the eye
of archaeologist anaesthetist or surgeon.
Phantasms and fabrics, luxury and lips, swallowed up
and the curtains of pain thrown open wide
to reveal naked and indifferent: the grave.

And I looked up towards the people who laboured
the stretched shoulders and arms that struck
in a rhythm heavy and rapid at this dead thing
as though it was the wheel of fate that passed above those
    ruins.

Ἄξαφνα περπατοῦσα καὶ δὲν περπατοῦσα
κοίταζα τὰ πετούμενα πουλιά, κι ἦταν μαρμαρωμένα
κοίταζα τὸν αἰθέρα τ' οὐρανοῦ, κι ἦτανε θαμπωμένος
κοίταζα τὰ κορμιὰ ποὺ πολεμοῦσαν, κι εἶχαν μείνει
κι ἀνάμεσό τους ἕνα πρόσωπο τὸ φῶς ν' ἀνηφορίζει.
Τὰ μαλλιὰ μαῦρα χύνουνταν στὴν τραχηλιά, τὰ φρύδια
εἴχανε τὸ φτερούγισμα τῆς χελιδόνας, τὰ ρουθούνια
καμαρωτὰ πάνω ἀπ' τὰ χείλια, καὶ τὸ σῶμα
ἔβγαινε ἀπὸ τὸ χαροπάλεμα ξεγυμνωμένο
μὲ τ' ἄγουρα βυζιὰ τῆς ὁδηγήτρας,
χορὸς ἀκίνητος.

Κι ἐγὼ χαμήλωσα τὰ μάτια μου τριγύρω:
κορίτσια ζύμωναν, καὶ ζύμη δὲν ἀγγίζαν
γυναῖκες γνέθανε, τ' ἀδράχτια δὲ γυρίζαν
ἀρνιὰ ποτίζουνταν, κι ἡ γλώσσα τους στεκόταν
πάνω ἀπὸ πράσινα νερὰ ποὺ ἔμοιαζαν κοιμισμένα
κι ὁ ζευγὰς ἔμενε μ' ἀνάερη τὴ βουκέντρα.
Καὶ ξανακοίταξα τὸ σῶμα ἐκεῖνο ν' ἀνεβαίνει·
εἴχανε μαζευτεῖ πολλοί, μερμήγκια,
καὶ τὴ χτυποῦσαν μὲ κοντάρια καὶ δὲν τὴ λαβῶναν.
Τώρα ἡ κοιλιά της ἔλαμπε σὰν τὸ φεγγάρι
καὶ πίστευα πὼς ὁ οὐρανὸς ἦταν ἡ μήτρα
ποὺ τὴν ἐγέννησε καὶ τὴν ξανάπαιρνε, μάνα καὶ
    βρέφος.
Τὰ πόδια της μεῖναν ἀκόμη μαρμαρένια
καὶ χάθηκαν· μιὰ ἀνάληψη.

Suddenly I was walking and not walking
I was watching the birds in flight, and they were turned to
    marble
I was watching the brightness of the sky, and it was dimmed
I was watching the bodies' effort, and they were stilled
and in their midst a figure rising, riding the light.
Hair black and loose to the shoulders, eyebrows
like a swallow in flight, nostrils
arched above the lips, then the torso
emerging from the throes of labour stripped naked
with the unripe breasts of the Virgin,
dance without movement.

And I lowered my eyes to look around me:
girls were kneading, and no dough did they touch
women were spinning, and no spindle did turn
lambs were drinking, and their tongues were still
above green water that seemed lulled into sleep
and the ploughman had stopped, his goad in mid-air.
And again I looked at that body rising;
many had gathered, like ants,
and struck at her with lances but did not wound her.
Now her belly shone like the moon
and I believed that the sky was the womb
that had given birth to her and was taking her back, mother
    and child.
Her legs remained marble still
and disappeared: an Ascension.

Ὁ κόσμος
ξαναγινόταν ὅπως ἦταν, ὁ δικός μας
μὲ τὸν καιρὸ καὶ μὲ τὸ χῶμα.

                        Ἀρώματα ἀπὸ σκίνο
πῆραν νὰ ξεκινήσουν στὶς παλιὲς πλαγιὲς τῆς μνήμης
κόρφοι μέσα στὰ φύλλα, χείλια ὑγρά·
κι ὅλα στεγνῶσαν μονομιᾶς στὴν πλατωσιὰ τοῦ κάμπου
στῆς πέτρας τὴν ἀπόγνωση στὴ δύναμη τὴ φαγωμένη
στὸν ἄδειο τόπο μὲ τὸ λιγοστὸ χορτάρι καὶ τ᾽ ἀγκάθια
ὅπου γλιστροῦσε ξέγνοιαστο ἕνα φίδι,
ὅπου ξοδεύουνε πολὺ καιρὸ γιὰ νὰ πεθάνουν.

The world

was becoming onωce again as it had been, our own
with time and earth.

Scents of lentisk

began to stir upon old hillsides of memory
bosoms among foliage, moistened lips;
and everything became dry at once in the flatness of the
    plain
in the stone's despair the eroded power
in the empty land of sparse weeds and thorns
where carefree on its way glides a snake,
and where much time is spent in dying.

ΤΡΙΑ ΚΡΥΦΑ ΠΟΙΗΜΑΤΑ

THREE SECRET POEMS

ΠΑΝΩ ΣΕ ΜΙΑ ΧΕΙΜΩΝΙΑΤΙΚΗ ΑΧΤΙΝΑ

ON A RAY OF WINTER SUN

Α΄

Φύλλα ἀπὸ σκουριασμένο τενεκὲ
γιὰ τὸ φτωχὸ μυαλὸ πού εἶδε τὸ τέλος·
τὰ λιγοστὰ λαμπυρίσματα.
Φύλλα πού στροβιλίζουνται μὲ γλάρους
ἀγριεμένους μὲ τὸ χειμώνα.

Ὅπως ἐλευθερώνεται ἕνα στῆθος
οἱ χορευτὲς ἔγιναν δέντρα
ἕνα μεγάλο δάσος γυμνωμένα δέντρα.

I

Leaves of rusted tin
for the poor brain that saw the end;
sparse flickers of light.
Leaves round-whirling with seagulls
turned wild by winter.

The moment a heart is set free
the dancers turned to trees,
a great wood of naked trees.

B´

Καίγουνται τ' ἄσπρα φύκια
Γραῖες ἀναδυόμενες χωρὶς βλέφαρα
σχήματα ποὺ ἄλλοτε χορεῦαν
μαρμαρωμένες φλόγες.
Τὸ χιόνι σκέπασε τὸν κόσμο.

II

There burns the white seaweed,
Graiae rise, eyelidless women
shapes that danced in another time
flames stilled into marble.
Snow lay over the world.

Γ΄

Οἱ σύντροφοι μ᾽ εἶχαν τρελάνει
μὲ θεοδόλιχους ἐξάντες πετροκαλαμῆθρες
καὶ τηλεσκόπια ποὺ μεγαλῶναν πράγματα—
καλύτερα νὰ μέναν μακριά.
Ποῦ θὰ μᾶς φέρουν τέτοιοι δρόμοι;
Ὅμως ἡ μέρα ἐκείνη ποὺ ἄρχισε
μπορεῖ δὲν ἔσβησε ἀκόμη
μὲ μιὰ φωτιὰ σ᾽ ἕνα φαράγγι σὰν τριαντάφυλλο
καὶ μιὰ θάλασσα ἀνάερη στὰ πόδια τοῦ Θεοῦ.

III

The companions had driven me mad
with their theodolites sextants lodestones
and telescopes that made things big—
better they had stayed far off.
Where will such ways lead us?
But that day which dawned
may be is not extinguished yet
with a fire in a chasm like a rose
and a sea insubstantial at the feet of God.

Δ´

Εἶπες ἐδῶ καὶ χρόνια:
«Κατὰ βάθος εἶμαι ζήτημα φωτός».
Καὶ τώρα ἀκόμη σὰν ἀκουμπᾶς
στὶς φαρδιὲς ὠμοπλάτες τοῦ ὕπνου
ἀκόμη κι ὅταν σὲ ποντίζουν
στὸ ναρκωμένο στῆθος τοῦ πελάγου
ψάχνεις γωνιὲς ὅπου τὸ μαῦρο
ἔχει τριφτεῖ καὶ δὲν ἀντέχει
ἀναζητᾶς ψηλαφητὰ τὴ λόγχη
τὴν ὁρισμένη νὰ τρυπήσει τὴν καρδιά σου
γιὰ νὰ τὴν ἀνοίξει στὸ φῶς.

IV

Years ago you said,
"At bottom I am a matter of light."
And even now as you lean for support
on the wide shoulders of sleep
even now that you are plunged
deep in the numbed breast of the sea
you search for corners where the black
is worn thin and cannot hold
you grope for the touch of the lance
that is destined to cut your heart
and lay it open to the light.

Ε΄

Ποιὸς βουρκωμένος ποταμὸς μᾶς πῆρε;
Μείναμε στὸ βυθό.
Τρέχει τὸ ρέμα πάνω ἀπ' τὸ κεφάλι μας
λυγίζει τ' ἄναρθρα καλάμια·

οἱ φωνὲς
κάτω ἀπ' τὴν καστανιὰ γίναν χαλίκια
καὶ τὰ πετᾶνε τὰ παιδιά.

V

What swollen river has taken us?
We stuck in the depths.
The current flows over our heads
and bends inarticulate reeds;

the voices
under the chestnut boughs became pebbles
thrown by children.

ΣΤ´

Μικρὴ πνοὴ κι ἄλλη πνοή, σπιλιάδα
καθὼς ἀφήνεις τὸ βιβλίο
καὶ σκίζεις ἄχρηστα χαρτιὰ τῶν περασμένων
ἢ σκύβεις νὰ κοιτάξεις στὸ λιβάδι
ἀγέρωχους κενταύρους ποὺ καλπάζουν
ἢ ἄγουρες ἀμαζόνες ἱδρωμένες
σ᾽ ὅλα τ᾽ αὐλάκια τοῦ κορμιοῦ
ποὺ ἔχουν ἀγώνα τὸ ἄλμα καὶ τὴν πάλη.

Ἀναστάσιμες σπιλιάδες μιὰν αὐγὴ
ποὺ νόμισες πὼς βγῆκε ὁ ἥλιος.

VI

A small breath and another breath: squall
as you turn from the book
and shred the waste paper of events past
or stoop to see in the meadow
arrogant centaurs galloping
or amazons unripe,
the runnels of their bodies filled with sweat,
competing in the long-jump and wrestling.

Squalls of resurrection one dawn
when you thought the sun broke through.

Z΄

Τὴ φλόγα τὴ γιατρεύει ἡ φλόγα
ὄχι μὲ τῶν στιγμῶν τὸ στάλαγμα
ἀλλὰ μιὰ λάμψη, μονομιᾶς·
ὅπως ὁ πόθος ποὺ ἔσμιξε τὸν ἄλλο πόθο
κι ἀπόμειναν καθηλωμένοι
ἢ ὅπως
ρυθμὸς τῆς μουσικῆς ποὺ μένει
ἐκεῖ στὸ κέντρο σὰν ἄγαλμα

ἀμετάθετος.

Δὲν εἶναι πέρασμα τούτη ἡ ἀνάσα
οἰακισμὸς κεραυνοῦ.

VII

Fire is cleansed by fire
not in the slow drip of hours
but all at once, in a flash;
as the desire that mingled with the other desire
was left fixed without motion
or as
rhythm in music remains
there in the centre like a statue

immutable.

This breath has no passing
that the thunderbolt steers.

ΕΠΙ ΣΚΗΝΗΣ

ONSTAGE

Α΄

Ἥλιε παίζεις μαζί μου
κι ὅμως δὲν εἶναι τοῦτο χορὸς
ἡ τόση γύμνια
αἷμα σχεδὸν
γι᾽ ἄγριο κανένα δάσο·
τότε—

I

Sun, you play a game with me
but this is no dance
all this nakedness
blood you might say
for some wild forest;
then—

Β'

Σήμαντρα ἀκούστηκαν
κι ἦρθαν οἱ μαντατοφόροι·
δὲν τοὺς περίμενα
λησμονημένη κι ἡ λαλιά τους·
ξεκούραστοι φρεσκοντυμένοι
κρατώντας κάνιστρα τοὺς καρπούς.
Θαύμασα καὶ ψιθύρισα:
«Μ' ἀρέσουν τ' ἀμφιθέατρα».
Ἡ ἀχιβάδα γέμισε ἀμέσως
καὶ χαμήλωσε τὸ φῶς στὴ σκηνὴ
ὅπως γιὰ κάποιο περιώνυμο φονικό.

II

Signals struck
and the messengers entered.
I wasn't expecting them
the sound of their voices was even forgotten;
refreshed they came in fresh garments
bearing baskets of fruit.
In amazement I whispered,
"I like these amphitheatres."
The shell of seats filled at once
and the lights were darkened on the stage
as if for some notorious murder.

Γ΄

Ἐσὺ τί γύρευες; Τραυλὴ στὴν ὄψη.
Μόλις ποὺ εἶχες σηκωθεῖ
ἀφήνοντας τὰ σεντόνια νὰ παγώσουν
καὶ τὰ ἐκδικητικὰ λουτρά.
Στάλες κυλοῦσαν στοὺς ὤμους σου
στὴν κοιλιά σου
τὰ πόδια σου κατάσαρκα στὸ χῶμα
στὸ θερισμένο χόρτο.
Ἐκεῖνοι, τρεῖς
τὰ πρόσωπα τῆς τολμηρῆς Ἑκάτης.
Γύρευαν νὰ σὲ πάρουν μαζί τους.
Τὰ μάτια σου δυὸ τραγικὰ κοχύλια
κι εἶχες στὶς ρῶγες στὰ βυζιὰ
δυὸ βυσσινιὰ μικρὰ χαλίκια—
σύνεργα τῆς σκηνῆς, δὲν ξέρω.
Ἐκεῖνοι ἀλάλαζαν
ἔμενες ριζωμένη στὸ χῶμα,
σκίζαν τὸν ἀέρα τὰ νοήματά τους.
Δοῦλοι τοὺς ἔφεραν τὰ μαχαίρια·
ἔμενες ριζωμένη στὸ χῶμα,
κυπαρίσσι.
Ἔσυραν τὰ μαχαίρια ἀπ᾿ τὰ θηκάρια
κι ἔψαχναν ποῦ νὰ σὲ χτυπήσουν.
Τότε μονάχα φώναξες:
«Ἂς ἔρθει νὰ μὲ κοιμηθεῖ ὅποιος θέλει,
μήπως δὲν εἶμαι ἡ θάλασσα;»

III

What were you seeking? A stammer in your face.
Scarcely had you risen
leaving the sheets to ice over
and the avenging bath.
Drops rolled from your shoulders
to your belly
and your feet naked to earth
in the scythed grass.
There, those three
the faces of all-daring Hecate.
They were seeking you to take you with them.
Your eyes two tragic shells
and you had on the nipples of your breasts
two small cherried pebbles—
stage props perhaps? I don't know.
They shrieked aloud,
you remained rooted in earth:
the air was rent by their signs.
Slaves brought them daggers,
you remained rooted in earth
a cypress.
They drew the daggers from their sheaths
searching where to strike you.
Only then did you cry out:
"Whoever wishes may come and sleep with me.
Am I not the sea?"

Δ΄

Ἡ θάλασσα· πῶς ἔγινε ἔτσι ἡ θάλασσα;
Ἄργησα χρόνια στὰ βουνά·
μὲ τύφλωσαν οἱ πυγολαμπίδες.
Τώρα σὲ τοῦτο τ᾽ ἀκρογιάλι περιμένω
ν᾽ ἀράξει ἕνας ἄνθρωπος
ἕνα ὑπόλειμμα, μιὰ σχεδία.

Μὰ μπορεῖ νὰ κακοφορμίσει ἡ θάλασσα;
Ἕνα δελφίνι τὴν ἔσκισε μιὰ φορὰ
κι ἀκόμη μιὰ φορὰ
ἡ ἄκρη τοῦ φτεροῦ ἑνὸς γλάρου.

Κι ὅμως ἦταν γλυκὸ τὸ κύμα
ὅπου ἔπεφτα παιδὶ καὶ κολυμποῦσα
κι ἀκόμη σὰν ἤμουν παλικάρι
καθὼς ἔψαχνα σχήματα στὰ βότσαλα,
γυρεύοντας ρυθμούς,
μοῦ μίλησε ὁ Θαλασσινὸς Γέρος:
«Ἐγὼ εἶμαι ὁ τόπος σου·
ἴσως νὰ μὴν εἶμαι κανεὶς
ἀλλὰ μπορῶ νὰ γίνω αὐτὸ ποὺ θέλεις».

IV

The sea; how did it get like this, the sea?
For years I lingered in the mountains;
the glow-worms dazzled me.
Now by this shore I wait
for a man to find a mooring
for a left-over fragment, a raft.

But is it possible the sea can rot and fester?
It was torn by a dolphin once
and another time
by the flying tip of a seagull's wing.

And yet the waves were sweet
when as a child I plunged in and swam
and then as a youth
searching for shapes in the shingle,
seeking out rhythms,
he spoke to me, the Old Man of the Sea:
"I am your country.
May be that I am no one,
but I can take what shape you please."

Ποιὸς ἄκουσε καταμεσήμερα
τὸ σύρσιμο τοῦ μαχαιριοῦ στὴν ἀκονόπετρα;
Ποιὸς καβαλάρης ἦρθε
μὲ τὸ προσάναμμα καὶ τὸ δαυλό;
Καθένας νίβει τὰ χέρια του
καὶ τὰ δροσίζει.
Καὶ ποιὸς ξεκοίλιασε
τὴ γυναίκα τὸ βρέφος καὶ τὸ σπίτι;
Ἔνοχος δὲν ὑπάρχει, καπνός.
Ποιὸς ἔφυγε
χτυπώντας πέταλα στὶς πλάκες;
Κατάργησαν τὰ μάτια τους· τυφλοί.
Μάρτυρες δὲν ὑπάρχουν πιά, γιὰ τίποτε.

V

Who heard at midday
the whine of dagger on whetstone?
Who was the horseman that came
bringing tinder kindling the firebrand?
Each one washes his hands
cooling them.
And who disembowelled
the woman, the infant and the house?
There is no one guilty, all vanished.
Who fled
hoofbeats thudding on flagstones?
They have struck out their eyes: they are blind.
No martyrs now bear witness, to anything.

ΣΤ΄

Πότε θὰ ξαναμιλήσεις;
Εἶναι παιδιὰ πολλῶν ἀνθρώπων τὰ λόγια μας.
Σπέρνουνται γεννιοῦνται σὰν τὰ βρέφη
ριζώνουν θρέφουνται μὲ τὸ αἷμα.
Ὅπως τὰ πεῦκα
κρατοῦνε τὴ μορφὴ τοῦ ἀγέρα
ἐνῶ ὁ ἀγέρας ἔφυγε, δὲν εἶναι ἐκεῖ
τὸ ἴδιο τὰ λόγια
φυλάγουν τὴ μορφὴ τοῦ ἀνθρώπου
κι ὁ ἄνθρωπος ἔφυγε, δὲν εἶναι ἐκεῖ.
Ἴσως γυρεύουν νὰ μιλήσουν τ᾽ ἄστρα
ποὺ πάτησαν τὴν τόση γύμνια σου μιὰ νύχτα
ὁ Κύκνος ὁ Τοξότης ὁ Σκορπιὸς
ἴσως ἐκεῖνα.
Ἀλλὰ ποὺ θά εἶσαι τὴ στιγμὴ ποὺ θά ᾽ρθει
ἐδῶ σ᾽ αὐτὸ τὸ θέατρο τὸ φῶς;

VI

When will you speak once more?
Our words are children of many men.
Begotten and born like infants
they are rooted, nourished in blood.
As the pines
keep the shape of the wind
when the wind has gone, is no longer there,
words in the same way
frame the image of man
and the man has gone, is no longer there.
The stars perhaps are trying to speak
that pressed down your nakedness one night
the Swan, Sagittarius, Scorpio
perhaps it is they.
But where will you be at that moment
when here, to this theatre, comes light?

Z΄

Κι ὅμως ἐκεῖ, στὴν ἄλλην ὄχθη
κάτω ἀπ' τὸ μαῦρο βλέμμα τῆς σπηλιᾶς
ἥλιοι στὰ μάτια πουλιὰ στοὺς ὤμους
ἤσουν ἐκεῖ· πονοῦσες
τὸν ἄλλο μόχθο τὴν ἀγάπη
τὴν ἄλλη αὐγὴ τὴν παρουσία
τὴν ἄλλη γέννα τὴν ἀνάσταση·
κι ὅμως ἐκεῖ ξαναγινόσουν
στὴν ὑπέρογκη διαστολὴ τοῦ καιροῦ
στιγμὴ-στιγμὴ σὰν τὸ ρετσίνι
τὸ σταλαχτίτη τὸ σταλαγμίτη.

VII

But even there, on the other shore
below the dark eye of the cave
suns in your eyes, birds on your shoulders
you were there; and felt the pain
of the other struggle—love
of the other dawn—vision
of the other birth—resurrection;
there you became once more—
in the immense dilation of time
of minute after minute, like resin—
like stalactite, like stalagmite.

ΘΕΡΙΝΟ ΗΛΙΟΣΤΑΣΙ

SUMMER SOLSTICE

Α´

Ὁ μεγαλύτερος ἥλιος ἀπὸ τὴ μιὰ μεριὰ
κι ἀπὸ τὴν ἄλλη τὸ νέο φεγγάρι
ἀπόμακρα στὴ μνήμη σὰν ἐκεῖνα τὰ στήθη.
Ἀναμεσό τους χάσμα τῆς ἀστερωμένης νύχτας
κατακλυσμὸς τῆς ζωῆς.
Τ' ἄλογα στ' ἀλώνια
καλπάζουν καὶ ἱδρώνουν
πάνω σὲ σκόρπια κορμιά.
Ὅλα πηγαίνουν ἐκεῖ
καὶ τούτη ἡ γυναίκα
ποὺ τὴν εἶδες ὄμορφη, μιὰ στιγμὴ
λυγίζει δὲν ἀντέχει πιὰ γονάτισε.
Ὅλα τ' ἀλέθουν οἱ μυλόπετρες
καὶ γίνουνται ἄστρα.

Παραμονὴ τῆς μακρύτερης μέρας.

I

The sun at its greatest on the one hand
and on the other the new moon
far off down the memory like those breasts.
Between, the chasm of a night with stars
deluge of life.
Horses on the threshing-floors
sweat and gallop
over scattered bodies.
All of them go there
and this woman,
whom you saw had been beautiful, one moment
bends, beyond endurance, and knelt.
All are fine-ground by the millstones
to become stars.

Eve of the longest day.

Ὅλοι βλέπουν ὁράματα
κανεὶς ὡστόσο δὲν τ᾿ ὁμολογεῖ·
πηγαίνουν καὶ θαρροῦν πὼς εἶναι μόνοι.
Τὸ μεγάλο τριαντάφυλλο
ἤτανε πάντα ἐδῶ
στὸ πλευρό σου βαθιά μέσα στὸν ὕπνο
δικό σου καὶ ἄγνωστο.
Ἀλλὰ μονάχα τώρα ποὺ τὰ χείλια σου τ᾿ ἄγγιξαν
στ᾿ ἀπώτατα φύλλα
ἔνιωσες τὸ πυκνό βάρος τοῦ χορευτῆ
νὰ πέφτει στὸ ποτάμι τοῦ καιροῦ—
τὸ φοβερὸ παφλασμό.

Μὴ σπαταλᾶς τὴν πνοὴ ποὺ σοῦ χάρισε
τούτη ἡ ἀνάσα.

II

They all have their visions
though none of them admits it—
they go on convinced that they're alone.
The great rose
was here always
in your side deep-buried in sleep
your own and unknown.
But only now when your lips have touched
its farthest leaves
did you feel the heavy pressure of the dancer
slipping into the river of time—
the fearful surge.

Don't waste the breath
this breathing has given you.

Γ´

Κι ὅμως σ᾽ αὐτὸ τὸν ὕπνο
τ᾽ ὄνειρο ξεπέφτει τόσο εὔκολα
στὸ βραχνά.
Ὅπως τὸ ψάρι ποὺ ἄστραψε κάτω ἀπ᾽ τὸ κύμα
καὶ χώθηκε στὸ βοῦρκο τοῦ βυθοῦ
ἢ χαμαιλέοντας ὅταν ἀλλάζει χρῶμα.
Στὴν πολιτεία ποὺ ἔγινε πορνεῖο
μαστροποὶ καὶ πολιτικιὲς
διαλαλοῦν σάπια θέλγητρα·
ἡ κυματόφερτη κόρη
φορεῖ τὸ πετσὶ τῆς γελάδας
γιὰ νὰ τὴν ἀνεβεῖ τὸ ταυρόπουλο·
ὁ ποιητὴς
χαμίνια τοῦ πετοῦν μαγαρισιὲς
καθὼς βλέπει τ᾽ ἀγάλματα νὰ στάζουν αἷμα.
Πρέπει νὰ βγεῖς ἀπὸ τοῦτο τὸν ὕπνο·
τοῦτο τὸ μαστιγωμένο δέρμα.

III

But in this sleep
the dream sinks so easily
into nightmare.
Like the fish flashing beneath the wave
and buried in slime of the deep,
or the chameleon changing colour.
In the city turned brothel
pimps and politic whores
declare the rotten charms their wares.
The wave-borne maiden
wears the skin of a cow
to entice the bullcalf to mount her.
The poet
while urchins hurl dung
sees the statues drip blood.
You must come out of this sleep;
this scourge-flayed skin.

Δ´

Στὸ τρελὸ ἀνεμοσκόρπισμα
δεξιὰ ζερβὰ πάνω καὶ κάτω
στροβιλίζουνται σαρίδια.
Φτενοὶ θανατεροὶ καπνοὶ
λύνουν τὰ μέλη τῶν ἀνθρώπων.
Οἱ ψυχὲς
βιάζουνται ν' ἀποχωριστοῦν τὸ σῶμα
διψοῦν καὶ δὲ βρίσκουν νερὸ πουθενά·
κολνοῦν ἐδῶ κολνοῦν ἐκεῖ στὴν τύχη
πουλιὰ στὶς ξόβεργες·
σπαράζουν ἀνωφέλευτα
ὅσο ποὺ δὲ σηκώνουν ἄλλο τὰ φτερά τους.

Φυραίνει ὁ τόπος ὁλοένα
χωματένιο σταμνί.

IV

In the senseless scattering of wind
right left, up and down
refuse is whirled away.
Wreathed fumes of death
loosen men's limbs.
The souls
are quick to part from their bodies
they thirst and find water nowhere.
They cling here they cling there, haphazard
like birds in lime-twig snares;
they thrash and tear in vain
until their wings can bear no more.

The land is forever shrinking
an earthen jar.

Ε΄

Ὁ κόσμος τυλιγμένος στὰ ναρκωτικὰ σεντόνια
δὲν ἔχει τίποτε ἄλλο νὰ προσφέρει
παρὰ τοῦτο τὸ τέρμα.
   Στὴ ζεστὴ νύχτα
ἡ μαραμένη ἱέρεια τῆς Ἑκάτης
μὲ γυμνωμένα στήθη ψηλὰ στὸ δῶμα
παρακαλᾶ μιὰ τεχνητὴ πανσέληνο, καθὼς
δυὸ ἀνήλικες δοῦλες ποὺ χασμουριοῦνται
ἀναδεύουν σὲ μπακιρένια χύτρα
ἀρωματισμένες φαρμακεῖες.
Αὔριο θὰ χορτάσουν ὅσοι ἀγαποῦν τὰ μυρωδικά.

Τὸ πάθος της καὶ τὰ φτιασίδια
εἶναι ὅμοια μὲ τῆς τραγωδοῦ
ὁ γύψος τους μάδησε κιόλας.

V

The world coiled tight in the drugged sheets
has nothing else to offer
but only this ending.
                              In the hot night
the withered priestess of Hecate
with bared breasts, above on the roof
invokes an artificial moon at the full, while
two young slave-girls yawning
stir the copper cauldron
of sweet-smelling potions.
Tomorrow they'll be sated, all who love perfumes.

Her passion and her make-up
are the same as on the stage,
the wet plaster has cracked already.

ΣΤ´

Κάτω στὶς δάφνες
κάτω στὶς ἄσπρες πικροδάφνες
κάτω στὸν ἀγκαθερὸ βράχο
κι ἡ θάλασσα στὰ πόδια μας γυάλινη.
Θυμήσου τὸ χιτώνα ποὺ ἔβλεπες
ν᾽ ἀνοίγει καὶ νὰ ξεγλιστρᾶ πάνω στὴ γύμνια
κι ἔπεσε γύρω στοὺς ἀστραγάλους
νεκρὸς—
ἂν ἔπεφτε ἔτσι αὐτὸς ὁ ὕπνος
ἀνάμεσα στὶς δάφνες τῶν νεκρῶν.

Down among the laurels
down among the white oleanders
down among the thorn-sharp rocks
and the sea like glass at our feet.
Remember the cloak you saw
open out, slipping back over nakedness
and it fell about the ankles
dead—
if only this sleep should fall like that
among the laurels of the dead.

Ἡ λεύκα στὸ μικρὸ περιβόλι
ἡ ἀνάσα της μετρᾶ τὶς ὧρες σου
μέρα καὶ νύχτα·
κλεψύδρα ποὺ γεμίζει ὁ οὐρανός.
Στὴ δύναμη τοῦ φεγγαριοῦ τὰ φύλλα της
σέρνουν μαῦρα πατήματα στὸν ἄσπρο τοῖχο.
Στὸ σύνορο εἶναι λιγοστὰ τὰ πεῦκα
ἔπειτα μάρμαρα καὶ φωταψίες
κι ἄνθρωποι καθὼς εἶναι πλασμένοι οἱ ἄνθρωποι.
Ὁ κότσυφας ὅμως τιτιβίζει
σὰν ἔρχεται νὰ πιεῖ
κι ἀκοῦς καμιὰ φορὰ φωνὴ τῆς δεκοχτούρας.

Στὸ μικρὸ περιβόλι δέκα δρασκελιὲς
μπορεῖς νὰ ἰδεῖς τὸ φῶς τοῦ ἥλιου
νὰ πέφτει σὲ δυὸ κόκκινα γαρούφαλα
σὲ μιὰν ἐλιὰ καὶ λίγο ἀγιόκλημα.
Δέξου ποιὸς εἶσαι.
                    Τὸ ποίημα
μὴν τὸ καταποντίζεις στὰ βαθιὰ πλατάνια
θρέψε το μὲ τὸ χῶμα καὶ τὸ βράχο ποὺ ἔχεις.
Τὰ περισσότερα—
σκάψε στὸν ἴδιο τόπο νὰ τὰ βρεῖς.

VII

The poplar in the little garden
its breath tells out your hours
day and night—
a water-clock replenished by the sky.
In the power of the moon its leaves
drag black prints on the white wall.
At the boundary the pines are sparse
then marble and blazing lights
and men, the way men are moulded.
Yet the blackbird chirps
as it goes to drink
and you'll hear once or twice the turtle-dove sing.

In the little garden ten strides long
you can see the sunlight
as it falls on a pair of red carnations
on an olive, a clutch of honeysuckle.
Accept who you are.
                              As for the poem
don't let it sink to the depths of the plane-trees,
let it feed on what earth and rock you possess.
And for the rest
dig down just there, to find them.

Τ' ἄσπρο χαρτὶ σκληρὸς καθρέφτης
ἐπιστρέφει μόνο ἐκεῖνο ποὺ ἦσουν.

Τ' ἄσπρο χαρτὶ μιλᾶ μὲ τὴ φωνή σου,
τὴ δική σου φωνὴ
ὄχι ἐκείνη ποὺ σ' ἀρέσει·
μουσική σου εἶναι ἡ ζωὴ
αὐτὴ ποὺ σπατάλησες.
Μπορεῖ νὰ τὴν ξανακερδίσεις ἂν τὸ θέλεις
ἂν καρφωθεῖς σὲ τοῦτο τ' ἀδιάφορο πράγμα
ποὺ σὲ ρίχνει πίσω
ἐκεῖ ποὺ ξεκίνησες.

Ταξίδεψες, εἶδες πολλὰ φεγγάρια πολλοὺς ἥλιους
ἄγγιξες νεκροὺς καὶ ζωντανοὺς
ἔνιωσες τὸν πόνο τοῦ παλικαριοῦ
καὶ τὸ βογκητὸ τῆς γυναίκας
τὴν πίκρα τοῦ ἄγουρου παιδιοῦ—
ὅ,τι ἔνιωσες σωριάζεται ἀνυπόστατο
ἂν δὲν ἐμπιστευτεῖς τοῦτο τὸ κενό.
Ἴσως νὰ βρεῖς ἐκεῖ ὅ,τι νόμισες χαμένο·
τὴ βλάστηση τῆς νιότης, τὸ δίκαιο καταποντισμὸ τῆς ἡλικίας.

Ζωή σου εἶναι ὅ,τι ἔδωσες
τοῦτο τὸ κενὸ εἶναι ὅ,τι ἔδωσες
τὸ ἄσπρο χαρτί.

VIII

The white paper, hard mirror,
reflects only what you were.

The white paper speaks with your voice,
your own voice
not one to please you;
your music is life
this that you wasted.
You can perhaps regain it if you want,
if you bind yourself down to this indifferent thing
that throws you back
there where you started.

You travelled, saw many moons and suns
touched the living and the dead,
you knew the pain of youth
the moans of woman
the bitterness of the growing child—
that which you knew is dissolved into air
unless you place your trust in this void.
It may be you'll find there what you thought was lost:
the rising sap of youth, the rightful sinking of age.

You life is what you gave
this void is what you gave
the white paper.

Μιλοῦσες γιὰ πράγματα ποὺ δὲν τά 'βλεπαν
κι αὐτοὶ γελοῦσαν.

Ὅμως νὰ λάμνεις στὸ σκοτεινὸ ποταμὸ
πάνω νερά·
νὰ πηγαίνεις στὸν ἀγνοημένο δρόμο
στὰ τυφλά, πεισματάρης
καὶ νὰ γυρεύεις λόγια ριζωμένα
σὰν τὸ πολύροζο λιόδεντρο—
ἄφησε κι ἂς γελοῦν.
Καὶ νὰ ποθεῖς νὰ κατοικήσει κι ὁ ἄλλος κόσμος
στὴ σημερινὴ πνιγερὴ μοναξιὰ
στ' ἀφανισμένο τοῦτο παρὸν—
ἄφησέ τους.

Ὁ θαλασσινὸς ἄνεμος κι ἡ δροσιὰ τῆς αὐγῆς
ὑπάρχουν χωρὶς νὰ τὸ ζητήσει κανένας.

IX

You spoke of things they didn't see:
they laughed.

But to row the dark river
with the current against you
to go blindly an obstinate traveller
by the unknown road
and to seek out words rooted
like the knotted olive-trunk—
leave them to laugh.
And to long for the other world to inhabit
the suffocating loneliness of our days
in this vanished present—
leave them.

The sea winds and the cool of dawn
breathe without their asking.

Ι΄

Τὴν ὥρα ποὺ τὰ ὀνείρατα ἀληθεύουν
στὸ γλυκοχάραμα τῆς μέρας
εἶδα τὰ χείλια ποὺ ἄνοιγαν
φύλλο τὸ φύλλο.

Ἔλαμπε ἕνα λιγνὸ δρεπάνι στὸν οὐρανό.
Φοβήθηκα μὴν τὰ θερίσει.

X

The moment when dreams come true
in the quiet break of day
I saw the parting lips
leaves upon leaves.

A lean sickle shone in the sky.
I was afraid it was to harvest them.

ΙΑ΄

Ἡ θάλασσα ποὺ ὀνομάζουν γαλήνη
πλεούμενα κι ἄσπρα πανιὰ
μπάτης ἀπὸ τὰ πεῦκα καὶ τ᾽ Ὄρος τῆς Αἴγινας
λαχανιασμένη ἀνάσα·
τὸ δέρμα σου γλιστροῦσε στὸ δέρμα της
εὔκολο καὶ ζεστὸ
σκέψη σχεδὸν ἀκάμωτη κι ἀμέσως ξεχασμένη.

Μὰ στὰ ρηχὰ
ἕνα καμακωμένο χταπόδι τίναξε μελάνι
καὶ στὸ βυθὸ—
ἂν συλλογιζόσουν ὣς ποῦ τελειώνουν τὰ ὄμορφα νησιά.

Σὲ κοίταζα μ᾽ ὅλο τὸ φῶς καὶ τὸ σκοτάδι ποὺ ἔχω.

XI

The sea they call serenity
ships and white sails
breeze off the pines and the Mountain of Aegina
a gasping breath.
Your skin slid into her skin
unresisting, warm
a thought scarcely ripe and at once forgotten.

But in the shallows
an octopus, speared, squirted ink
and in the deep—
if you'd only consider to their end the beautiful islands.

I stared at you with all the light and darkness I possess.

Τὸ αἷμα τώρα τινάζεται
καθὼς φουσκώνει ἡ κάψα
στὶς φλέβες τ᾽ οὐρανοῦ τ᾽ ἀφορμισμένου.
Γυρεύει νὰ περάσει ἀπὸ τὸ θάνατο
γιὰ νά ᾽βρει τὴ χαρά.

Τὸ φῶς εἶναι σφυγμὸς
ὁλοένα πιὸ ἀργὸς καὶ πιὸ ἀργὸς
θαρρεῖς πὼς πάει νὰ σταματήσει.

XII

Now the blood is bursting
as the white heat swells
in the veins of the festering sky.
It seeks to pass through death
and find joy.

The light is a pulse
slower all the time slower
you think it's going to cease.

Λίγο ἀκόμη καὶ θὰ σταματήσει ὁ ἥλιος.
Τὰ ξωτικὰ τῆς αὐγῆς
φύσηξαν στὰ στεγνὰ κοχύλια·
τὸ πουλὶ κελάηδησε τρεῖς φορὲς τρεῖς φορὲς μόνο·
ἡ σαύρα πάνω στὴν ἄσπρη πέτρα
μένει ἀκίνητη
κοιτάζοντας τὸ φρυγμένο χόρτο
ἐκεῖ ποὺ γλίστρησε ἡ δεντρογαλιά.
Μαύρη φτερούγα σέρνει ἕνα βαθὺ χαράκι
ψηλὰ στὸ θόλο τοῦ γαλάζιου—
δές τον, θ' ἀνοίξει.

Ἀναστάσιμη ὠδίνη.

XIII

A little farther and the sun will cease.
The dawn ghosts
blew on dry shells.
The bird sang three times three times only.
The lizard on the white stone
keeps motionless
staring at the shrivelled grass
there where the snake slid by,
Black wing draws a deep score
high on the vault of blue—
see there: it'll open.

Birth pangs of resurrection.

Τώρα,
μὲ τὸ λιωμένο μολύβι τοῦ κλήδονα
τὸ λαμπύρισμα τοῦ καλοκαιρινοῦ πελάγου,
ἡ γύμνια ὁλόκληρης τῆς ζωῆς·
καὶ τὸ πέρασμα καὶ τὸ σταμάτημα καὶ τὸ πλάγιασμα
    καὶ τὸ τίναγμα
τὰ χείλια τὸ χαϊδεμένο δέρας,
ὅλα γυρεύουν νὰ καοῦν.

Ὅπως τὸ πεῦκο καταμεσήμερα
κυριεμένο ἀπ' τὸ ρετσίνι
βιάζεται νὰ γεννήσει φλόγα
καὶ δὲ βαστᾶ πιὰ τὴν παιδωμὴ—

φώναξε τὰ παιδιὰ νὰ μαζέψουν τὴ στάχτη
καὶ νὰ τὴ σπείρουν.
Ὅ,τι πέρασε πέρασε σωστά.

Κι ἐκεῖνα ἀκόμη ποὺ δὲν πέρασαν
πρέπει νὰ καοῦν
τοῦτο τὸ μεσημέρι ποὺ καρφώθηκε ὁ ἥλιος
στὴν καρδιὰ τοῦ ἑκατόφυλλου ρόδου.

XIV

Now,
with the fortune-teller's melted lead
the flickering of the sea in summer,
the nakedness of all life;
and motion and cessation, lying asleep and shaking
    awake,
the lips, the caressed fleece,
all are seeking the flames.

As the pine in the heat of noon
in the grip of the resin
is quick to give birth to flame,
and no longer endures the torment—

Call the children to gather the ashes
and sow them in earth.
What came to pass is past for the best;

and even that which never passed
must burn
this noon when the sun is nailed to the heart
of the centifoliate rose.

Other books by Seferis in English Translation

POETRY

The King of Asine and Other Poems, translated by Bernard
Spencer, Nanos Valaoritis, and Lawrence Durrell, with
an introduction by Rex Warner (London: John
Lehmann, 1948).

Poems, translated by Rex Warner (London: Bodley Head;
Boston and Toronto: Little, Brown, 1960).

Collected Poems, 1924-1955 [Greek and English texts],
translated, edited and introduced by Edmund Keeley
and Philip Sherrard (Princeton University Press, 1967;
London: Jonathan Cape, 1969).

Tria Kryfa Poiemata. Three Secret Poems [Greek and
English texts], translated, with an introduction by
Walter Kaiser (Cambridge, Mass.: Harvard University
Press; London: Oxford University Press, 1969).

Collected Poems, Expanded Edition, [Greek and English
texts], translated and edited by Edmund Keeley and
Philip Sherrard (Princeton University Press, 1981;
London: Anvil Press, 1982).

Complete Poems, translated, edited and introduced by
Edmund Keeley and Philip Sherrard (Princeton
University Press; London: Anvil Press Poetry, 1995).

ESSAYS

On the Greek Style, translated, with an introduction by
Rex Warner and Th.D. Frangopoulos (London: Bodley
Head; Boston and Toronto: Little, Brown, 1966;
reprinted by Denise Harvey, Athens, 1982).

DIARY

A Poet's Journal: Days of 1945-1951, translated by Athan
Anagnostopoulos, with an introduction by Walter
Kaiser (Cambridge, Mass.: Belknap, 1974; London:
Harvard University Press, 1975).

FICTION

Six Nights on the Acropolis: A Novel, translated by Susan
Matthias, with a foreword by Roderick Beaton (River
Vale, NJ: Cosmos Publishing, 2007)

Further reading

Roderick Beaton, *George Seferis: Waiting for the Angel.
A Biography* (London and New Haven: Yale University
Press, 2003).

READ THE MODERN GREEK CLASSICS

CONSTANTINE P. CAVAFY
Selected Poems
Translated by David Connolly

ANDREAS LASKARATOS
Reflections
Translated by Simon Darragh

ALEXANDROS PAPADIAMANDIS
Fey Folk
Translated by David Connolly

GEORGIOS VIZYENOS
Thracian Tales
Translated by Peter Mackridge

GEORGIOS VIZYENOS
Moskov Selim
Translated by Peter Mackridge

NIKIFOROS VRETTAKOS
Selected Poems
Translated by David Connolly

Rebetika
Songs from the Old Greek Underworld
Translated by Katharine Butterworth & Sara Schneider

www.aiora.gr